D1274876

Jimmy Sévigny
En collaboration avec
Michèle Lemieux

ÊTRE
SUR SON

*Êtes-vous
au bon endroit
dans votre vie?*

Les Éditions
Lacroix

À vous, lecteurs ! En espérant que cet ouvrage vous inspire et qu'il vous permette de continuer votre route vers la santé et votre bien-être intérieur.

À notre enfant qui naîtra en 2017. Lorsque tu arriveras, ce sera un monde d'inconnus pour ta mère et moi. Il n'y a pas de manuel d'instructions qui explique comment être un bon parent, mais je te promets que nous ferons tout ce qui est en notre pouvoir pour te transmettre nos valeurs et t'aimer de tout notre cœur.

◇◇◇◇◇◇◇◇◇◇◇◇◇◇◇

« La plus grande révolution de notre génération est la découverte que les êtres humains peuvent transformer leur vie en changeant simplement de mentalité. » – William James

◇◇◇◇◇◇◇◇◇◇◇◇◇◇◇

Remerciements

Publier un livre, c'est facile. On pèse sur «Start» pour imprimer et relier du papier et le tour est joué. Toutefois, si j'en suis ici aujourd'hui, c'est grâce à un paquet de gens. J'aimerais donc prendre le temps de les remercier car sans eux, ce livre serait probablement vide ou bien moins inspirant que celui que vous vous apprêtez à lire.

Mes parents

Je remercie mes parents de m'avoir donné la vie et de m'avoir donné une chance de laisser ma trace sur Terre. Papa, même si cela n'a pas toujours été évident, tes conseils des dernières années m'ont aidé à cheminer et à avancer dans la vie ; merci !

Chantal Lacroix

Chantal, en 2008, tu as laissé une chance à un «« «ti-cul» qui souhaitait changer le monde et je t'en remercie. Une partie de ce livre te revient. Si j'ai appris une chose depuis que je te connais, c'est de ne jamais prononcer le mot «impossible». Merci pour tout ce qu'on a pu faire ensemble, je nous souhaite encore plein de projets tous plus abracadabrants les uns que les autres !

Michèle Lemieux

Merci à toi qui as su prendre le temps de m'écouter et de me comprendre afin de rendre l'écriture de ce livre possible et surtout, d'avoir la capacité de te «virer sur un 10 cents». Tu as réalisé un tour de force. Ce que je retiens de toi, 3 mots: valeurs, écoute et intégrité.

Isabelle Lamy

Tu es là depuis le début et tu m'aides à avancer dans ma vie personnelle autant que professionnelle, merci d'être dans ma vie mon amie!

Joanie Tardif

Tu es celle avec qui je veux passer le reste de ma vie. Merci d'avoir insisté pour que je te convoque en entrevue. Tu es celle qui me fait voir la vie autrement et qui m'a permis de prendre conscience que l'on se doit de comprendre nos émotions avant de pouvoir bien les gérer. Je n'ai malheureusement pas encore cette passion dévorante pour le yoga autant que toi... mais ça viendra:) ! Merci pour ta sagesse ainsi que pour tout l'amour que tu me donnes au quotidien.

Finalement, merci à vous!

À vous qui me soutenez depuis le début;

À vous qui croyez en moi;

À vous qui avez décidé de peut-être changer quelque chose dans votre vie en vous procurant ce livre!

Sans vous, tout ceci ne serait pas possible!

Les Éditions
Lacroix

Courriel : info@editionslacroix.com

Rédaction : Jimmy Sévigny et Michèle Lemieux

Relecture (1ère partie) : Annie Bussières

Photographie (couverture) : Isabelle Lamy

- - - - - - -

Création et production : Monette communication

Design graphique : Éric Monette

Révision : Kathleen Michaud, Émilie Lefebvre

- - - - - - -

ISBN : 978-2-9814273-6-6

Dépôt légal - Bibliothèque et Archives nationales du Québec, 2016

Dépôt légal - Bibliothèque et Archives Canada, trimestre 2016

- - - - - - -

Impression : Transcontinental

Avis aux lecteurs
Ce livre ne comporte pas d'avis médicaux. Nous vous suggérons de consulter un professionnel de la santé pour des conseils spécifiques à votre condition.

Table des matières

Prologue

Il y a quelques années, j'ai été profondément touché par cette jeune victime d'intimidation qui s'était enlevée la vie en Gaspésie. Pour avoir moi-même souffert d'intimidation durant ma jeunesse, j'ai imaginé sans peine ce que cette adolescente avait pu subir et j'ai tout de suite compris sa détresse. Et j'ai eu envie de passer à l'action pour faire connaître cette problématique, malheureusement trop répandue dans notre société. Avec l'idée de tourner éventuellement un documentaire sur la question, j'ai lancé un appel sur ma page Facebook aux jeunes âgés entre 12 et 16 ans. Ceux qui me suivaient avaient-ils une histoire d'intimidation à me raconter?

J'ai reçu des tonnes de messages. Ces histoires étaient toutes plus intéressantes les unes que les autres, mais l'une d'entre elles a retenu mon attention. C'était le récit d'une femme de 28 ans dont le témoignage, croyait-elle, allait sûrement m'intéresser. Sans omettre de détails, elle m'a raconté que lorsqu'elle étudiait au secondaire, elle avait été victime d'intimidation et en avait été gravement affectée. Cette situation avait eu un impact si négatif dans sa vie qu'elle avait dû consulter un psychologue afin de l'aider à surmonter cette épreuve. Ce qu'elle avait vécu avait miné son estime et sa confiance en elle. En une vingtaine de points, elle résumait l'enfer qu'elle avait vécu en relatant ce que son intimidateur lui avait fait subir.

Je ne pouvais pas concevoir qu'un être humain puisse faire preuve d'autant de cruauté. Les motivations de cet intimidateur m'échappaient. Tout cela me semblait tellement gratuit. La fille poursuivait son récit par l'énumération de ses souffrances et de ses nombreux malheurs. J'étais profondément bouleversé par la lecture de ce témoignage. Je n'étais pas au bout de mes peines, car en guise de conclusion, celle qui vivait encore aujourd'hui avec les conséquences de l'intimidation m'a balancé cette vérité douloureuse que je n'avais pas vu venir : « Cet intimidateur, concluait-elle, c'était toi. »

PREMIÈRE PARTIE:
MON HISTOIRE

CHAPITRE 1 :
DES FAIBLESSES QUI DEVIENNENT DES FORCES

« Lorsque tout semble aller contre vous,
souvenez-vous que les avions décollent
toujours face au vent. » – Henry Ford

Chaque fois que la sonnerie retentissait dans l'école primaire de Ville de La Baie où j'étais élève de deuxième année, l'angoisse nouait mon estomac. L'heure de la récréation était bien souvent pour moi synonyme d'humiliation. Le jeu le plus populaire dans la cour d'école était «roule la boule», et j'avais l'honneur d'être au centre de ce jeu. Les enfants, des garçons pour la plupart, s'amusaient à me foncer dessus, moi le «gros de l'école», comme si j'étais un objet sans importance. Le premier ou la première qui arrivait à me faire perdre pied en me rentrant dedans, à me renverser jusqu'à me faire tomber, était déclaré vainqueur et pouvait me rouler par terre. Vous avez bien compris : la boule, c'était moi. Parfois, sans que je comprenne tout ce mépris, certains enfants, stimulés par l'effet d'entraînement, allaient même jusqu'à me cracher dessus. Bien entendu, ce n'était pas mon quotidien, mais ces événements ont mis en place certaines fondations de ma vie d'adulte. Je pense qu'une partie du sentiment d'insécurité qui m'habite encore vient de cette période.

Durant mes années au primaire, outre Pierre-Luc et Jean-François, je n'avais pas vraiment d'amis. Comme mes parents s'étaient séparés alors que j'avais 11 ans, j'avais appris à apprivoiser une certaine solitude. Je vivais chez ma mère durant la semaine et chez mon père les week-ends. Avec le recul, je constate que cette situation a forgé mon caractère et m'a préparé à faire face aux événements qui m'attendaient au tournant. J'ai développé des forces durant l'enfance, mais en guise d'estime de soi, j'avais un trou béant.

Je suis convaincu que les bases de l'estime de soi se posent dès l'enfance. C'est en grande partie à nos parents que revient la responsabilité de la façonner, de la développer, mais c'est à l'école par la suite qu'elle se renforce ou s'atrophie.

J'étais gros, pas très beau, pas très attirant non plus. Parce qu'aucun vêtement ne me faisait, je portais en permanence des pantalons de jogging. Mais je crois que j'étais un bon garçon. Le soir avant de m'endormir, sans même que personne ne m'y oblige, j'aimais lire quelques pages d'un livre. Lorsque j'avais de bonnes notes à l'école, je me souviens encore de la fierté que je ressentais. Comme tous les enfants du monde, j'avais besoin de victoires, d'être vu et validé à travers mes bons coups.

· · · · · · · · · · ·

L'adulte que vous êtes a encore besoin d'autant d'amour que lorsque vous étiez enfant. Il importe de vivre des victoires, car les défaites accumulées vous maintiennent dans un climat de négativité. Quelles sont vos sources de valorisation ?

· · · · · · · · · · ·

J'ai grandi auprès d'un père qui aimait me voir manger. Je crois que me fournir tout ce qu'il fallait sur le plan alimentaire lui apportait une certaine satisfaction, comme si, pour lui, nourrir son enfant était synonyme de s'en occuper.

Jusqu'à tout récemment, je n'avais jamais entendu mon père me dire « Je t'aime ». Comme bien des pères de sa génération, il avait de la difficulté à exprimer ses sentiments. Avec le recul, j'ai compris que son amour s'est manifesté par le biais de l'alimentation. Pour lui, c'était une manière de me dire qu'il m'aimait. Je n'ai jamais manqué de cet « amour »-là.

À l'âge de 9 ans, mon père m'a enseigné à cuisiner ma première recette. Il a fait cuire du bœuf haché dans beaucoup de beurre. Puis, il a épongé le gras dans la poêle avec deux tranches de pain. J'étais désormais un cuistot en herbe !

Il y a quelques années, mon père a dû vendre sa maison. Au moment de tourner une importante page de sa vie, nous avons eu une vraie conversation. J'ai pris le risque de le questionner. « Papa, pourquoi m'as-tu laissé grossir ainsi ? » lui ai-je demandé. Il s'est montré très ouvert et m'a avoué que si les choses étaient à refaire, il les ferait sûrement autrement. Durant sa jeunesse, il avait manqué de tout, y compris de nourriture. Il m'avait confirmé que me nourrir comme il l'avait fait était pour lui une preuve d'amour. D'ailleurs, lorsqu'il voulait nous faire plaisir, il nous invitait Chez Paulo ou chez Poulet frit Gagnon que les gens du Saguenay connaissent comme étant de hauts lieux de malbouffe. Il était heureux de pouvoir nous inviter à manger au restaurant.

Ma mère travaillait dans une auberge. La plupart du temps, son horaire de travail l'amenait à quitter la maison du milieu de l'après-midi jusqu'à tard le soir. Elle ne pouvait donc pas surveiller à mon alimentation. Elle a fait ce qu'elle a pu avec ce qu'elle savait à l'époque. Manger sept ou huit pizzas pochettes pour le souper n'était pas rare pour moi. Je mangeais ce que je trouvais dans le congélateur. J'aurais dû m'arrêter à deux pizzas pochettes, mais déjà, ma relation à la nourriture montrait de sérieuses failles.

Mes principales activités tournaient autour de l'ordinateur et du Nintendo. Au primaire, j'ai essayé tous les sports : j'ai entre autre joué au baseball et fait du karaté. Je me suis aussi inscrit dans les cadets : un vrai désastre! Je rêvais d'être comme les autres, d'avoir une gang, mais encore une fois, j'ai fini par me sentir à part. Trois mois après m'être inscrit, on ne m'avait toujours pas trouvé d'uniforme suffisamment grand. Lorsque le sergent entrait dans la salle pour lancer le cri de ralliement et que nous devions nous mettre en rang comme de bons petits soldats, 50 cadets s'alignaient dans leur uniforme impeccable, sauf moi. Je portais des joggings, un t-shirt, des bottes et le chapeau des cadets. Le chapeau était la seule pièce de l'équipement à me faire. Vous imaginez un peu la scène? Au final, au lieu d'avoir un groupe, une famille à laquelle m'identifier, j'étais encore une fois l'exception qui était victime de moqueries et d'intimidation de la part des autres. À cette époque, comme aujourd'hui, l'intimidation n'était pas toujours verbale.

Je me souviendrai toujours de cette soirée à la réunion des cadets. J'étais assis, seul dans mon coin, tandis qu'un groupe jasait au loin. Des jeunes me regardaient avec insistance. Je savais qu'ils parlaient de moi. Ils me jetaient un regard amusé puis se regardaient d'un air entendu et riaient abondamment en faisant des gestes grandiloquents avec leurs bras. Ils se moquaient de mes joggings. Vous ne pouvez même pas imaginer la manière dont je me suis senti. J'étais exclu, intimidé, blessé dans mon amour propre.

Chaque fois que je tentais de relever un défi, dès que j'émettais la moindre plainte, ma mère m'encourageait à arrêter. Je ne sais plus combien de fois elle m'a conseillé : «Si c'est trop dur, arrête!» Je crois qu'elle ne supportait pas de me voir souffrir, même si c'était pour la bonne cause. Par la suite, dans toutes les sphères de ma vie, j'ai appliqué cette philosophie du moindre effort, jusqu'à ce que j'en prenne conscience et que je change. J'ai appris à me reprogrammer, à contrecarrer cette tendance à abandonner en cours de route. Encore aujourd'hui, les vieux réflexes de mon ancienne vie reviennent parfois, mais je suis vigilant; je ne veux pas retomber dans mes anciens *patterns*. Je crois que ce sera le travail d'une vie.

• • • • • • • • • •

Il faut encourager, valoriser la persévérance, et ce, dès le plus jeune âge. L'abandon n'est pas une solution.

• • • • • • • • • •

Ma mère a tout essayé pour me faire maigrir. Je me souviens même du jour où, sur la recommandation d'un vendeur itinérant, elle m'a acheté des biscuits hyper protéinés. Ces biscuits contenaient, disait-il, énormément de protéines. Cela devait m'aider à identifier mes signes de satiété très rapidement et, du même coup, à perdre du poids. Le principe n'est pas évident pour un jeune qui ignore ce qu'est avoir réellement faim, car il mange pour combler un vide et non pas pour procurer à son corps les nutriments dont il a besoin. Bref, il fallait manger six biscuits et boire dix verres d'eau par jour pour supposément maigrir. Je devais avoir

sept ou huit ans... Ma sœur, Josée, qui est de six ans mon aînée, avait aussi un problème de poids. Résultat : durant la première semaine, nous sommes passés à travers la boîte de biscuits qui, en théorie, devait nous durer un mois...

Une autre fois, ma mère m'avait inscrit dans un groupe qui prônait de saines habitudes de vie pour maigrir. On nous pesait toutes les semaines. J'avais 11 ans, et j'étais entouré de femmes de plus de 40 ans. Il n'y avait pas un enfant dans le groupe auquel j'aurais pu m'identifier. Dès la première rencontre, je me suis senti à part ! Mon poids étant supérieur au maximum admissible sur la balance, la « motivatrice » avait décidé de me peser sur deux pèse-personnes à la fois. La honte ! Le concept consistait à éliminer la malbouffe pour la remplacer par des légumes et toutes sortes d'aliments que je n'aimais pas... Je suis retourné chez nous avec un nouveau plan alimentaire alors que toute ma famille a continué à manger de la malbouffe ! Sans jeter la responsabilité sur mes parents, réussir à maintenir de saines habitudes alimentaires dans ces conditions me semblait impossible. Quand on est enfant, l'environnement est déterminant. Comment manger une salade pour souper alors que toute la famille se régale de frites ? Ça ne pouvait pas fonctionner.

Durant toute ma jeunesse, je n'ai jamais eu de blonde. À l'âge où les garçons s'intéressent aux filles et vice-versa, ma vie affective était inexistante. J'étais même convaincu que les filles, ce n'était pas pour moi. Je me sentais condamné à poursuivre ma route seul. J'avais beau être un enfant, je savais pertinemment que le désintérêt des filles à mon égard était lié à mon poids. Je ne pouvais l'ignorer : tout le monde me traitait de gros !

Dès la maternelle, j'avais éprouvé un sérieux béguin pour Amélie. À l'âge où les sentiments sont si purs et dénués d'arrière-pensées, j'étais tombé amoureux d'elle et ce sentiment ne m'a jamais quitté tout au long du primaire. Elle était parfaite à mes yeux. Elle était blonde aux yeux bleus. J'aurais fait n'importe quoi pour qu'Amélie me regarde ou qu'elle veuille travailler en équipe avec moi. C'était peine perdue. Elle m'ignorait royalement.

Au primaire, les cours d'éducation physique peuvent se transformer en calvaire pour certains élèves. Pour moi, c'était un véritable enfer! Je ne sais pas si la pratique existe encore dans les écoles, mais pour former les équipes, les professeurs d'éducation physique désignaient des capitaines, lesquels choisissaient à tour de rôle leurs coéquipiers. J'étais toujours le dernier à être nommé. Lorsque j'avais fait suffisamment de lobbying auprès des autres élèves, j'étais l'avant-dernier à être choisi. Super pour l'estime de soi! J'ai eu la chance d'enseigner l'éducation physique à des jeunes de niveau primaire. Je ppeuxuis vous confirmer que mes techniques pour former des équipes étaient fort différentes.

Et les dossards. Les fameux dossards! Il n'y en avait jamais de suffisamment grands pour moi. Encore une fois, j'étais toujours à part des autres. En 5e année, nous faisions de la gymnastique au sol, dont des roulades. J'avais demandé à mon professeur d'être dispensé de cette activité, ce qu'il a refusé. Avec mon poids en trop, comment y parvenir? Forcé de m'exécuter, j'ai perdu le souffle et me suis étouffé. Ma mère a dû venir me chercher à l'école; j'étais dans un piètre état. Ce qui apparaissait si normal et naturel aux yeux des autres enfants devenait parfois très laborieux, voire impossible pour moi.

Enfant, j'étais asthmatique. J'étais dans une mauvaise forme physique et mon système immunitaire peinait à se défendre. Le moindre rhume ou la moindre grippe et mes poumons en souffraient. Je devais alors me rendre à l'hôpital où l'on me soumettait à un traitement d'inhalothérapie. Les infirmières devaient s'y reprendre jusqu'à une dizaine de fois avant de réussir à m'injecter quoi que ce soit : impossible d'atteindre la veine tellement j'étais gros. À 8 ans, je pesais 200 livres. À 10 ans, 220 livres. À 11 ans, 252 livres. On utilisait toutes sortes d'excuses pour expliquer la chose : j'avais une bonne ossature, ou encore des veines fuyantes. En réalité, le problème était toujours le même : j'étais trop gros. Aujourd'hui, si une infirmière doit me faire une prise de sang, elle me pique une seule fois et réussit à tout coup. Compte tenu de ces expériences, je détestais l'hôpital et encore aujourd'hui, ma relation au système hospitalier ne s'est guère améliorée. Moins j'y vais, mieux je me porte.

Si j'avais le pouvoir de revivre mon enfance, je ferais plus de sport et je m'arrangerais pour avoir plus de connaissances sur l'alimentation. À cet âge, j'avais déjà développé une relation malsaine avec la nourriture. Avec les jeux vidéo, c'est la seule chose qui m'apportait le réconfort dont j'étais avide.

Lorsque je demandais des bonbons à mon père, il m'en achetait une boîte. C'était sa manière de me faire plaisir. Je ne sais plus combien de boîtes de 250 pieds rouges gélatineux j'ai pu manger. Je passais au travers en une soirée ! Il ne m'a jamais expliqué qu'il fallait en manger quelques-uns à la fois et conserver les autres pour un autre jour. Qu'on imagine la quantité de glucose que mon foie devait traiter chaque fois !

• • • • • • • • • •

En tant que parents, il faut éduquer nos enfants sur le plan alimentaire et les encourager à bouger. Les enfants ont deux types d'idoles : les idoles populaires et leurs parents. Ils sont portés à copier les comportements de leur père et de leur mère, qu'ils soient positifs ou négatifs.

• • • • • • • • • •

Chez nous, on faisait rarement des activités parents-enfants. Vous savez, ce genre d'activités que tout enfant rêve de pratiquer avec ses parents ? Les films américains nous montrent une image idéalisée de la famille : on joue ensemble, on fait du sport, on s'amuse. Comment ne pas comparer ?

Un jour, ma mère avait convaincu mon père de nous amener au Village des sports. Je m'en souviens encore ! L'aller s'était bien déroulé, mais mon père avait écopé d'une contravention sur le chemin du retour ce qui, je dois l'admettre, avait contribué à diminuer son « niveau de bonheur »...J'ai fait quelques activités avec ma mère, mais sans plus. Inutile de le préciser, lorsque j'ai pris le chemin de la santé, j'ai cherché sans relâche à m'épanouir dans des activités physiques de différentes natures. J'ai voulu rattraper le temps perdu.

Les activités en famille tissent des liens, forgent des souvenirs, permettent d'apprivoiser la victoire et la défaite. Tous ces facteurs contribuent à bâtir l'estime de soi des enfants et à leur tricoter de beaux souvenirs. Vous souvenez-vous des activités pratiquées au sein de votre propre famille ? Fermez les yeux et rappelez-vous les trois principales activités qui ont marqué votre enfance. Font-elles partie de vos souvenirs heureux ou malheureux ?

· · · · · · · · · · ·

Tous les enfants ont droit à l'amour et à la reconnaissance de leurs parents. Ce sont deux éléments qui nourrissent leur estime et qui contribuent à leur donner la confiance nécessaire pour avancer dans la vie.

· · · · · · · · · · ·

Dès mon plus jeune âge, ma relation à l'argent a été singulière. À la maison, le mot « argent » était pratiquement au cœur de toutes les conversations. Le discours était toujours le même : dans la vie, si on n'a pas d'argent, il est impossible de se réaliser pleinement ou d'être heureux. « L'argent mène le monde », répétait-on autour de moi. Pas étonnant que l'aspect mercantile de toutes choses ait toujours été présent dans ma vie.

Mon premier business a consisté à vendre des cartes de hockey. Je les achetais en paquets et je les revendais à l'unité. J'avais fabriqué une boîte en carton avec des fentes qui servait de machine distributrice de cartes de hockey. Je demandais aux gens de me donner 25 cents en échange d'une carte distribuée au hasard par ma machine.

L'idée de faire du profit me trottait constamment dans la tête. Je voulais toujours acheter et revendre. J'étais habité par cette fausse croyance selon laquelle l'argent rend heureux. Avec le temps, j'ai compris que ce n'est pas le cas.

Derrière chez nous, il y avait un développement immobilier et un champ boueux tout autour. J'avais vu à la télévision qu'on pouvait faire de la poterie avec de la terre glaise. J'ai donc décidé de mettre sur pied une entreprise de poterie grâce à la glaise que je ramassais à la chaudière derrière la maison. Disons la vérité: ce que je façonnais de mes mains était laid comme ce n'est pas permis! Je vendais ces sculptures 1 $. Si les gens en achetaient, c'est qu'ils avaient pitié de moi.

Même si je n'ai pas vécu une enfance aussi traumatisante que celle de bien d'autres, j'ai connu ma part d'épreuves. Avec le recul, je me suis rendu compte à quel point j'ai manqué de structures durant cette période déterminante. Je me suis parfois senti seul face à moi-même.

• • • • • • • • • •

Comme une plante a besoin d'un tuteur pour pousser droit,
un enfant a besoin de structures, de règles, d'encadrement
pour se sentir en sécurité et s'épanouir pleinement.

• • • • • • • • • •

Ça me rappelle un jeune à qui j'enseignais à l'école de

Saint-Stanislas-de-Kostka. C'était un élève qui m'en faisait particulièrement baver. Je vous fais grâce des insultes qu'il proférait, mais je l'obligeais à s'excuser s'il voulait remettre les pieds dans mon gymnase. Pour l'amadouer un peu, j'allais jouer aux cartes avec lui sur l'heure du midi, deux à trois fois par semaine. Je croyais en ce jeune et espérais pouvoir tisser un lien avec lui. Il y a quelques années, alors qu'il était en famille d'accueil, il m'a écrit pour me dire que j'étais le meilleur professeur qu'il avait eu. J'étais, disait-il, le seul à avoir osé lui imposer des limites. Malgré son tempérament délinquant, il pressentait que ce qui lui avait fait cruellement défaut, c'était des règles. Nos jeunes évoluent mieux dans un cadre bien défini.

Vers la fin de mon primaire, l'intimidation dont j'avais été victime a commencé à s'estomper. Je me tenais alors avec les « ti-bums » de l'école. Être ami avec David, Nelson, Robin et Martin était la meilleure manière que j'avais trouvée pour qu'on me foute la paix. Encore-là, j'étais constamment victime de leurs blagues et de leur intimidation mais au moins, j'étais avec eux! À cette période, mon estime de moi et ma confiance n'étaient pas au plus haut, mais j'avais trouvé un moyen de m'intégrer. Avec les « ti-bums », je me sentais fort. Enfin! Après avoir tant souffert de rejet, j'allais maintenant faire payer la note aux autres. Même aux innocents.

À MÉDITER

Si vous aviez le pouvoir de remonter le temps et de parler à l'enfant que vous étiez, que voudriez-vous lui dire ?

Si on sait tirer des leçons des événements douloureux de notre jeunesse, les faiblesses peuvent devenir des forces. Vous est-il arrivé d'appréhender certains événements avec tellement de stress et d'anxiété que votre vie en était affectée ? Ce que vous avez vécu étant jeune a forgé l'adulte que vous êtes devenu. Ces événements vous freinent-ils encore aujourd'hui ? Les avez-vous dépassés ? Ou vous propulsent-ils vers l'avant ?

CHAPITRE 2

LA PAROLE PEUT CONSTRUIRE
OU DÉTRUIRE

*« Il n'y a personne qui soit né sous
une mauvaise étoile, il n'y a que des gens qui ne
savent pas lire le ciel. »* – Dalaï Lama

À la fin de ma dernière année du primaire, j'ai commencé à être stressé et anxieux : je craignais le secondaire. En 6ᵉ année, je me sentais comme le « king » de l'école parce que je faisais partie des plus vieux. Deux mois plus tard, quand je suis entré au secondaire, j'étais parmi les plus jeunes de l'école. Malgré ma corpulence, j'étais devenu un « ti-cul ».

En allant prendre mon autobus scolaire à la fin de la première journée d'école, j'ai taquiné une fille que je connaissais en lui faisant une grimace. Au même moment, un « bum » s'est tourné vers moi en pensant que c'était à lui que je la faisais. Il s'est organisé pour que la rumeur parvienne jusqu'à moi : le « gros tabarnak» allait *passer au cash*. Le lundi suivant, avant même d'avoir mis le pied à l'école, je mangeais ma première volée du secondaire.

Les deux premières années dans cette école n'ont pas été des plus agréables. J'en conserve quelques bons souvenirs, mais plusieurs mauvais. Après avoir connu une certaine accalmie à la fin du primaire, j'ai été intimidé de plus belle au début du secondaire. Je me souviens de cette douzaine de gars qui s'étaient lancé un défi un soir sur la rue Bagotville. Ils avaient payé 5 $ chacun, et le montant total allait être remis à celui qui allait m'arracher le plus de vêtements. Comment oublier les propos de cette fille de deuxième secondaire qui m'avait balancé devant tout le monde : «Tu es tellement gros et laid ! Tu n'as pas honte de vivre ?» Aussi, lorsque je passais devant le centre social où les élèves se rassemblaient, je me demandais chaque fois combien d'insultes on allait me balancer par la tête. «Mon gros criss», «Mon gros tabarnak», «Mon gros pas-de-classe» étaient autant d'insultes dont on m'abreuvait. Aller à l'école était un supplice.

• • • • • • • • • •

La parole est une arme très puissante. On peut s'en servir pour construire ou pour détruire. On n'est pas toujours conscient du mal qu'on peut faire avec nos mots.

• • • • • • • • • •

Je vous suggère de faire un exercice. Fermez les yeux quelques minutes et essayez de vous souvenir des cinq phrases qui vous ont été dites et qui vous ont le plus marqué de manière positive ou négative. Elles vous suivent encore. Tous les jours de notre vie, quoique nous fassions, nous avons le pouvoir d'influencer les gens autour de nous avec nos mots. Combien de personnes avez-vous influencées de manière positive ? Et de manière négative ?

Quand on choisit de donner le meilleur de soi-même, on ne sait jamais comment ni à quel moment la vie nous le rendra. Mais elle nous le rend toujours. C'est le constat que je fais régulièrement. Encore récemment, une femme qui avait assisté à une de mes conférences est venue me voir en pleurant. Je l'ai écoutée et me suis occupé d'elle. Des années plus tard, cette même femme m'a invité à donner une conférence au sein de son entreprise. Une belle grande entreprise. La vie est ainsi faite : on reçoit ce qu'on donne. Le meilleur comme le pire.

• • • • • • • • • • •

Quand on est obèse, on ne peut rien manger sans qu'aussitôt les gens se permettent de nous juger. À la cafétéria, si on pose une salade sur son plateau, on entend dire que «le gros» est au régime. Si on choisit des frites, on devient «le gros porc» qui se nourrit mal... Quand on est obèse, quoi qu'on mange, on est condamné à être jugé.

• • • • • • • • • • •

Devant tout ce mépris des élèves du secondaire, je me suis renfermé encore un peu plus sur moi-même. À cette période, pour m'évader de mon quotidien, j'ai commencé à jouer à Donjons et Dragons, un jeu de rôles médiéval. Enfermé dans un monde imaginaire, j'incarnais des personnages d'une autre époque. J'ai joué chez nous, à l'aide de livres, et dans les bois avec des épées en styromousse. Ceux qui jouaient à ce jeu étaient taxés de déséquilibrés, mais moi, ce que j'aimais, c'est que dès que j'endossais un personnage, personne ne me jugeait et ça me faisait du bien. Ces épisodes de Donjons et Dragons m'ont permis de me réfugier dans un autre monde. Je suis devenu particulièrement créatif, j'ai développé mon imagination et mon esprit artistique.

En première secondaire, mes notes étaient passables. En deuxième secondaire, elles ont chuté dramatiquement. J'étais si malheureux dans cet environnement scolaire qu'il était tout à fait impossible que je performe et m'épanouisse. Depuis des années, j'entendais des propos haineux à mon endroit, je me sentais rejeté, j'étais isolé des autres élèves. La table était mise pour que je passe d'intimidé à intimidateur.

Mes années au secondaire m'ont laissé leur part de blessures. C'est probablement pour cette raison que je continue encore à donner des conférences dans les écoles secondaires. Voir les jeunes se lever spontanément pour m'applaudir après la rencontre me procure une joie indescriptible. Auprès des jeunes, j'ai l'impression de puiser une partie de cet amour qui m'a fait défaut durant mon enfance. On n'efface pas le passé, mais leur contact enrichissant met un baume sur mes blessures.

À l'âge de 12 ans, j'étais gros et grand comme un homme fait. Ne se fiant qu'à ma stature, un de mes cousins a pensé que j'avais l'âge requis pour *virer ma première brosse*. Lors d'un party de famille, entre le ragoût de boulettes et les huit bières Wildcat que j'ai bues, j'ai fait un vrai fou de moi. Bien avant la fin de la soirée, j'étais saoul mort! Mes parents étaient tous deux absents. Comme ma sœur et moi avions été mandatés pour être les dignes représentants de notre famille, j'ai fait honte à tout le monde... Ma sœur avait saisi l'occasion pour me faire la morale et me rappeler que je l'avais déshonorée. Aujourd'hui, nous avons du plaisir à nous remémorer ces événements et à en rire, mais à l'époque, ce n'était pas drôle du tout!

Durant notre jeunesse, nous étions plus ou moins proches ma sœur et moi. Ce n'est qu'à l'âge adulte que nous avons appris à mieux nous connaître et que nous nous sommes rapprochés.

En troisième secondaire, la déchéance s'est véritablement amorcée. J'ai délaissé Donjons et Dragons après avoir été recruté comme joueur de football dans le club Les 21. Alors que tous les jeunes étaient fiers de se pavaner dans leurs vêtements de football, j'étais encore confronté à cette immuable réalité : aucun vêtement n'était suffisamment grand pour moi. Louis-Marie, responsable du sport étudiant, s'était mis en tête de me trouver un équipement digne de ce nom. Deux semaines plus tard, je recevais un jogging blanc déniché chez Zellers qui tranchait joyeusement avec les pantalons rouges des autres joueurs de l'équipe. Louis-Marie avait fait coudre des poches à l'intérieur du pantalon pour y insérer des protections qui ne tenaient pas en place plus de 10 minutes. C'était pathétique... J'étais tout sauf comme les autres !

Nous commencions toujours nos entraînements en courant deux fois autour du terrain de football. Après cette période d'échauffement, j'avais déjà épuisé toutes mes réserves d'énergie. Kapout ! Je n'étais plus en mesure de produire le moindre effort. Encore une fois, les circonstances faisaient en sorte que j'étais le gars dont on se moquait. Je n'étais pas bon, j'étais juste gros. Avant que je joigne leurs rangs, les gars prenaient un malin plaisir à m'intimider, même s'ils prétendaient juste me taquiner. Comme j'étais devenu l'un des leurs, j'avais les gars de mon côté et avec eux, je me suis mis à intimider les autres ou à les « taquiner »... Ça dépend du point de vue !

Mon passage au sein des 21 m'a permis de me sentir puissant. Et pour dire les choses comme elles sont, je suis devenu une mauvaise personne... J'avais tellement souffert au cours des dernières années où on m'avait reflété une image si négative de moi-même que dès que j'ai été en mesure de prendre un peu d'assurance, je me suis vengé. C'est à cette période que j'ai commencé à jouer les intimidateurs.

À 15 ans, j'avais commencé à consommer de la drogue. Je fumais du « pot » et c'était plutôt amusant. Au début, nous partagions un joint à quatre. Puis rapidement, j'ai eu besoin de plus. Je me suis acheté une pipe. Je suis passé au hasch puis à l'huile de cannabis. Comme je n'avais pas d'argent pour consommer, j'ai décidé de vendre de la drogue à mes trois ou quatre amis.

J'avais laissé pousser mes cheveux. J'étais devenu un «bum» et j'écœurais tous ceux qui croisaient ma route. La carapace que je m'étais forgée au fil du temps était devenue bien étanche et difficile à traverser.

En troisième secondaire, on m'a placé dans une classe pour élèves spéciaux. Le cours dans lequel j'étais s'appelait «voie technologique» et s'adressait aux élèves avec un profil qui conduisait au DEP. J'étais tellement défoncé que je m'en fichais.

J'ai toujours eu un lien très fort avec la musique. Mon père a passé les 20 dernières années à se produire dans les pianos bars. Il jouait du clavier et il chantait. Il quittait la maison à 21 heures les jeudis, vendredis et samedis soirs et revenait vers 3 ou 4 heures du matin. Le dimanche, il animait toute la journée des groupes de danse sociale. Sur un plan purement anecdotique, pour avoir travaillé comme serveur dans un club de danse sociale, j'ai toujours été fasciné par les gens qui dansaient «en ligne». J'y ai vu bien des choses, mais je dois admettre que ma mâchoire s'est décrochée lorsque j'ai vu un groupe de 20 personnes danser un «slow en ligne». Selon moi, ce type de danse devait se danser à deux, pas en ligne!

J'aimais la musique. Je chantais et je jouais de la basse. Pour des raisons évidentes, personne ne voulait d'un gros chanteur dans son *band*, jusqu'à ce que je rencontre des gars de Chicoutimi qui m'ont accepté dans leur groupe. Avec Richard, Sylvain et Cédrik, nous formions le *band* punk *On strike* (en grève, en français) qui est devenu par la suite un band *death metal* du nom de Réminiscence. C'était une autre belle opportunité pour moi de m'affranchir du regard des autres. Comme j'avais un groupe de musique et que je jouais au football, j'étais plus puissant, plus glorieux et plus intimidant que jamais. Avec mon flair habituel, j'ai senti la bonne affaire. Je me suis mis à produire des groupes de musique *underground* du Saguenay et à présenter leurs *shows*. J'avais été approché pour produire un spectacle de style black métal! Ouf! Ça reste un moment inoubliable! Pendant une heure, les gens criaient «Satan» sans relâche. J'ai monté des *shows hardcore*, de grunge et de toutes les musiques *underground* de ma région.

Entre l'âge de 16 et 20 ans, grâce à AREA productions, j'ai produit une quarantaine de *shows*. J'avais trouvé un moyen sûr de donner un certain pouvoir à ma vie. J'avais le sentiment d'être en contrôle. Mes activités me rendaient plus respecté que jamais. Mais sur le plan financier, les choses ne tournaient pas aussi rondement. J'arrivais à peine à couvrir mes frais. Il est même arrivé que ma sœur m'allonge 500 $ pour que je puisse payer tout mon monde. La vie n'était pas des plus agréables, mais comme je me droguais pratiquement tous les soirs et que je *virais une brosse* à la Smirnoff de temps en temps, j'avais l'impression que les choses allaient bien. Je ne me faisais plus intimider, c'est moi qui intimidais les autres. C'était à mon tour de rire des filles à lunettes que je ne trouvais pas belles, et je ne me gênais pas pour leur dire! C'était à moi de rire de ces gars petits et maigres que je traitais de pauvres. Ces jeunes n'avaient pas besoin de m'entendre nommer à voix haute ce qui intérieurement les faisait déjà souffrir. J'étais devenu une mauvaise personne et je faisais du mal sans aucune honte. Dans mon for intérieur, j'étais toujours une bonne personne, mais je demeurais convaincu qu'il me fallait garder mon épaisse carapace pour éviter de me faire intimider. J'agissais contre nature.

• • • • • • • • • •

À force de vous faire rentrer dedans, avez-vous déjà changé votre personnalité? Vous êtes-vous déjà adapté aux autres pour être accepté d'eux?

• • • • • • • • • •

Il y avait toujours ce manque cruel qui se faisait de plus en plus sentir: à 16 ans, je n'avais toujours pas de blonde. Il faut dire que j'étais plus gros que jamais: je faisais osciller la balance autour de 400 livres. Les filles ne m'avaient jamais prêté attention, sinon pour me rejeter. Dès que l'une d'entre elles s'approchait de moi ou me donnait un tant soit peu d'attention, je tombais amoureux d'elle! Mon attitude leur faisait peur. Au moindre commentaire négatif, je pétais une crise. Le lien affectif me semblait difficile. J'ai bousillé quelques belles amitiés pendant mes années au secondaire. Entre autres, j'avais développé une belle relation avec Stéphanie, manifestement une bonne fille, passionnée de musique elle aussi. Un jour, sans aucun motif valable, je l'ai acculée au pied du mur: il fallait qu'elle devienne ma blonde ou qu'elle s'éloigne de moi. Je me sentais incapable d'être uniquement son ami. Sans demander son reste, elle est ressortie de ma vie aussitôt, et je l'ai toujours regrettée. Pourtant, avec un peu de maturité, je peux admettre que je n'éprouvais aucun sentiment amoureux pour elle. Comme elle allait poursuivre ses études en musique à Alma, nous allions de toute manière nous éloigner. Mes vieux réflexes d'autodéfense avaient encore une fois été d'une efficacité redoutable: j'avais trouvé le moyen de mettre un terme à la relation pour ne pas souffrir.

Du côté des études, ça n'allait pas fort. On m'avait placé dans une classe pré-DEP alors que j'avais de la difficulté à frapper un clou. Je tournais en rond. Je fumais du «pot» tous les jours avec mes amis. Mon environnement était néfaste, mais j'étais le pire de la gang! En cinquième secondaire, j'avais obtenu une moyenne de 38 %. J'ai finalement décroché mon diplôme d'études secondaires avec une note finale de 59 %, alors que la note de passage est de 60 %. Je pense qu'on a préféré me donner mon diplôme plutôt que de me voir revenir sur les bancs d'école. J'ai fait une sixième secondaire, une étape qui n'existe pas.

Finalement, j'ai décidé de m'inscrire au centre l'Oasis de Chicoutimi où j'ai obtenu un DEP qui allait me permettre de devenir vendeur. Je consommais toujours, mais je performais quand même. Je me suis fait des amis à cette école, des gars pour faire la fête. J'ai finalement obtenu mon diplôme en vente conseil. Une autre vie, je l'espérais, m'attendait enfin.

• • • • • • • • • • •

Mon parcours difficile au secondaire m'amène à encourager les jeunes à persévérer. S'ils ne réussissent pas à l'école, c'est souvent parce qu'on leur impose des matières qui ne les intéressent pas. Ce passage est toutefois obligatoire car c'est la base de l'éducation. Je les encourage à tenir le coup malgré tout parce qu'un jour, ils auront la chance d'étudier dans le domaine qu'ils aiment et dans lequel ils pourront performer.

• • • • • • • • • • •

Je revois parfois des étudiants de cette époque trouble de mon adolescence et lorsque j'aborde la question de l'intimidation, plusieurs me disent ne pas m'avoir perçu comme un intimidateur. C'est qu'ils ne faisaient pas partie des gens que j'intimidais! J'étais un bon garçon avec mes proches, ma gang de musiciens notamment. Mais les autres ont écopé de mon mal de vivre.

J'avais mis une croix sur mon passé, comme si l'intimidateur que j'avais été n'avait pas existé. Je n'acceptais pas de voir en face le mal que j'avais fait. Je me percevais comme un obèse qui avait été victime des autres durant toute sa jeunesse. Cette pensée me confortait dans ma situation d'intimidé, jusqu'à ce que je reçoive le message Facebook de cette fille que j'ai intimidée au secondaire. Un pan de ma jeunesse me sautait au visage.

J'ai spontanément appelé cette fille pour m'excuser. Je ne me souvenais même pas d'elle. Je n'avais pas le pouvoir de changer le passé, mais si je pouvais faire quelque chose pour elle, j'allais être là. Encore aujourd'hui, je ne suis toujours pas en paix avec cette histoire.

J'avais mon diplôme en poche, mais je continuais à avoir un style de vie vraiment malsain, à être insouciant de l'avenir. Cet été-là, je profitais du beau temps et j'en faisais le moins possible. Ma mère, qui partait pour le travail par une de ces belles journées, m'a interpelé. Installé près de la piscine hors-terre dans la cour arrière, je fumais du « pot », je mangeais des chips et j'écoutais du Bob Marley. Elle a piqué une véritable crise de nerfs : « Je suis écœurée ! Tu ne fais rien de ta vie ! À mon retour, tu es mieux d'avoir foutu quelque chose de ta journée ! », a-t-elle menacé. J'étais indifférent, complètement imperméable à tout commentaire. À son retour quatre heures plus tard, j'étais encore dans la piscine. Le même CD de Marley jouait en boucle. Avec le recul, je crois que ma mère devait se demander ce qu'elle allait faire de moi. À ses yeux, je devais être un cas désespéré. Elle me voyait mal tourner, et elle était impuissante. Sa détermination de femme ou son amour de mère n'y pouvaient rien. Comme dans Star Wars, j'avais basculé du côté sombre de la force.

À MÉDITER

Quand on a tort ou qu'on a blessé quelqu'un, il ne faut pas craindre de s'amender, de s'excuser, de clarifier une situation. On peut questionner l'autre pour en avoir le cœur net : « Ai-je fait quelque chose qui a pu te blesser ou te déranger ? ». Et surtout, il faut être prêt à entendre ce que l'autre a à nous dire.

CHAPITRE 3

OSER FAIRE LE PREMIER PAS

« Tournez-vous vers le soleil et l'ombre se tiendra derrière vous. » — Proverbe maori

Mon père était un grand admirateur de Future Shop. À son avis, ce qu'on y offrait était toujours meilleur, plus gros, plus beau. Pour lui, c'était un modèle à suivre et une inspiration au niveau des affaires. C'est donc là, tout naturellement, que j'ai voulu effectuer mon stage.

Daniel, le gérant de ma succursale, était très mince. Le contraste entre nous était si marquant que nous avions l'air tout droit sortis d'une bande dessinée. Mon stage s'étant passablement bien déroulé, je suis allé le voir pour vérifier s'il avait des préjugés contre les personnes obèses. Saisissant le sens de ma question, il m'a embauché sur le champ, prêt à me donner ma première chance. Je travaillais maintenant de 10 à 15 heures par semaine. Ce n'est pas beaucoup, vous me direz, mais pour moi c'était comme gagner le gros lot. Non seulement j'allais être rémunéré pour un travail, mais une entreprise avait décidé de me faire confiance. Ça n'avait pas de prix ! Sur les conseils de ma mère, pour me rendre à mon travail à Chicoutimi, je m'étais acheté ma première automobile, une minuscule Festiva qui faisait tout au plus 1 300 livres alors que moi, j'en pesais 450...

Chez Future Shop, la direction fournissait des chemises de travail aux employés. Comme je portais du 7X large, aucune n'était suffisamment grande pour moi. Faisant preuve de débrouillardise, j'avais déniché chez Bouclair un tissu qui rappelait vaguement les chemises de mon employeur. Malgré tout, on me repérait facilement dans le magasin : outre mon accoutrement inhabituel, j'avais de la difficulté à marcher et je me traînais les pieds à cause de mon poids. Je me sentais, encore une fois, à part, exclu.

Jean-Vincent, le gérant de plancher, a toujours été un vrai gentleman avec moi. Il me surnommait Monsieur Pachyderme. Certaines personnes pourraient y voir là une forme d'intimidation, mais il le disait d'une façon tellement drôle et affectueuse que je me sentais un peu réconforté lorsqu'il me donnait un peu d'attention. Avec tact, il m'invitait à bouger un peu plus. Il n'avait pas tort : j'étais assis à cœur de jour à classer des CD et des jeux d'ordinateur.

J'habitais le sous-sol chez ma mère. Monter les marches qui menaient au rez-de-chaussée exigeait un réel effort de ma part. Il me fallait faire deux pauses dans l'escalier pour y arriver. Le soir, lorsque je prenais ma douche, la vapeur d'eau chaude déclenchait des saignements de nez abondants. J'avais régulièrement recours à des pompes pour venir à bout de mon asthme. Inquiète de ma dérive, ma mère avait pris l'initiative de contacter l'hôpital de l'Université Laval à Québec afin que je rencontre un chirurgien qui pourrait éventuellement procéder sur moi à une dérivation gastro-intestinale. Lorsque je suis monté sur le pèse-personne du spécialiste, il indiquait 452 livres. J'avais 19 ans. Le médecin m'a placé sur le champ sur une liste d'attente. Avec un peu de chance, j'allais être opéré... dans cinq ans! Comme je ne saisissais pas la gravité de la situation, sans mettre de gants blancs, le chirurgien m'a dit: «Jimmy, regarde ton allure! Je suis certain que tu as tout essayé et que rien n'a fonctionné.» Il avait raison. Pour une rare fois dans ma vie, j'étais à bout d'argument.

• • • • • • • • • •

Parfois, les vérités difficiles à accepter nous laissent sans voix, sans mot. Il n'y a rien à dire, rien à ajouter. Tout est dit.

• • • • • • • • • •

J'étais préoccupé à l'idée de devoir attendre de 4 à 5 ans avant de me faire opérer. J'avais aussi des inquiétudes quant à la possibilité de mourir des suites de cette opération. J'avais questionné mon chirurgien sur les risques de rester sur la table. Sans hésitation, il avait confirmé qu'il perdait un patient de temps en temps. Je n'étais guère rassuré!

Mais mon médecin avait raison: j'avais tout essayé et rien n'avait fonctionné. Comme j'avais du temps devant moi, j'ai pensé qu'il devait y avoir une solution. Du moins, si elle existait, j'allais la trouver. Redoublant d'ardeur, j'ai expérimenté toutes sortes de choses dans l'espoir de fondre un peu: les barres et les biscuits pour maigrir, les protéines, la spiruline, le vinaigre de cidre de pomme, les *shakes*, les petits plats, les pilules (légales uniquement).

On sait tous de nos jours qu'un régime, s'il peut produire des résultats à court terme, ne fonctionne pas à moyen ou à long terme. On retrouvera forcément son poids par la suite. Pour perdre des kilos en trop et stabiliser son poids sur la balance, il faut nécessairement faire des choix à long terme. Je crois qu'un déclic est à la base de toute perte de poids volontaire. Je ne connais personne qui s'est levé un bon matin en déclarant : «Ma vie va bien, ma blonde m'aime, ma job roule. Mais coudonc! Pourquoi je ne perdrais pas 100 livres?» Ça prend un élément déclencheur.

Même lorsqu'il prétend qu'il s'accepte pleinement et qu'il se sent épanoui, je doute qu'un obèse morbide puisse vraiment se sentir bien dans sa peau. Comment est-ce possible quand le simple fait de mettre un pied devant l'autre représente un défi? On peut souffrir d'embonpoint et vivre avec, mais être obèse morbide et s'accepter? Je ne crois pas que ce soit possible.

• • • • • • • • • • •

Perdre des kilos commence par un choix. Ce sont les processus cognitifs décisionnels qui font en sorte qu'on peut perdre et maintenir son poids. Ce qui se passe entre les deux oreilles est déterminant.

• • • • • • • • • • •

Le jour où le chirurgien m'a annoncé qu'il me fallait attendre cinq ans avant d'être opéré, j'ai pensé que j'avais le temps de mourir bien avant de me rendre en salle d'opération. J'étais tellement mal en point.

Préoccupé par cette opération à venir, je réfléchissais sur la vie et la mort. Je ne pouvais concevoir que j'allais mourir si jeune. Étais-je venu sur Terre uniquement pour ça? Il me semblait qu'on naissait pour une raison quelconque et que l'objectif était d'accomplir quelque chose. Lorsque je m'attardais aux gens heureux autour de moi, leur bonheur me semblait ar-

tificiel. Certains semblaient jouer à un jeu, d'autres consommaient des médicaments, d'autres semblaient heureux, mais en superficie seulement.

Il m'est apparu évident que les gens vraiment de bonne humeur et heureux étaient, de façon générale, ceux qui se tenaient en forme et qui pratiquaient différentes activités physiques. Il m'arrivait souvent de constater que ceux dont le bonheur était contagieux parlaient souvent d'entraînement et de saine alimentation. Contre toute attente, ce constat a ouvert une brèche en moi. Peut-être y avait-il une leçon à tirer de ce mode de vie?

Le problème, c'est que j'en voulais à ces gens qui avaient l'air en super forme. J'étais fâché contre eux, sans raison. Je les surnommais les bios, les granos, les «mangeux» de graines. Je continuais à prétendre que rien n'égalait une pizza de 18 pouces toute garnie ou un double burger avec frites. Finalement, j'étais tellement jaloux de leur bonheur que je refusais de reconnaître qu'un changement d'hygiène de vie s'imposait.

Dans ma tête, j'étais convaincu que j'allais mourir. J'ai donc décidé de m'éclater. Pour vous donner une idée de ma démesure, je suis allé manger dans un buffet italien avec trois amis. Le prix du buffet était de 16 $, nourriture et boisson gazeuse à volonté. À notre demande, la serveuse a apporté deux pichets d'orangeade à notre table. Puis deux autres, et ainsi de suite. Au huitième pichet, elle nous a avisés que c'était le dernier. Je me suis objecté: n'avions-nous pas payé pour une formule à volonté? Scandalisée par ces quatre clients qui se goinfraient, elle a nuancé: «Il y a à volonté... et à volonté!»

Ce n'était pas la première fois que mon comportement posait problème dans un restaurant. À l'âge de 18 ans, je me suis fait bannir du buffet chinois de Chicoutimi. Il fallait payer 6,50 $

sur l'heure du midi pour manger à sa faim. Impossible pour un restaurateur de rentrer dans son argent avec un client comme moi. Pour manger à notre aise, mes amis et moi portions des joggings qui laissaient place à nos excès.

Pour commencer ma journée, j'ai déjà mangé deux paquets de muffins anglais garnis d'une douzaine d'œufs, de tranches de fromage sur lesquels j'ai versé la moitié d'une conserve de sirop d'érable. Mon exagération n'avait pas de limite. J'ai déjà commandé 16 hot-dogs et des frites. Nous étions deux. Et cela n'avait rien d'exceptionnel.

• • • • • • • • • •

*«Quel que soit le problème, la solution
ne se trouve pas dans le frigo.»*

• • • • • • • • • •

Je ne pouvais pas continuer à vivre ainsi. Un soir, chez Future Shop, Jean-Vincent s'est approché de moi. J'ai pensé qu'il allait me taquiner comme à son habitude. Au contraire, il avait son air sérieux. Je pressentais qu'il avait quelque chose à me dire et que ça risquait de ne pas être agréable, ni pour lui ni pour moi. Il sortait de réunion : la direction voulait me congédier. J'avais un peu plus tôt été transféré aux électroménagers, le département dont personne ne voulait chez Future Shop, et je ne faisais toujours pas l'affaire. Je devais expliquer aux clientes comment faire une brassée de lavage alors que moi-même, je n'en avais jamais faite de ma vie. Je travaillais sans grande conviction, je me traînais les pieds, j'offrais un service médiocre à notre clientèle et j'obtenais des résultats de vente en conséquence. Le choix, pour la direction, semblait facile à faire. Jean-Vincent, qui n'avait cessé jusque-là de répéter à quel point il avait confiance en moi, semblait sur le point de se résigner. L'ultimatum est tombé : je changeais ou je partais. Sans même un regard, il a tourné les talons. Quelques mètres plus loin, il s'est arrêté, s'est

tourné vers moi et, plantant son regard dans le mien, il a laissé tomber : « Tu sais le grand, si tu voulais, tu pourrais accomplir de grandes choses… » Et il est reparti. Mon travail était la seule chose qui me tenait encore en vie, et j'allais le perdre.

• • • • • • • • • •

Il nous arrive tous de traverser une période où tout semble mal aller, mais généralement, nous avons une bouée à laquelle nous raccrocher : un conjoint, un travail, une équipe sportive, une famille. Moi, je n'avais plus rien…

• • • • • • • • • •

Au final, ces mots ont trouvé leur écho en moi. Avec le recul, je suis même en mesure d'affirmer que si Jean-Vincent ne m'avait pas acculé au pied du mur, je ne suis pas certain que je serais encore en vie. Je me serais probablement pendu dans mon placard ou je me serais suicidé avec la bouffe… Cet homme qui avait toujours cru en moi avait trouvé les bons mots pour me toucher. Avec une seule phrase, Jean-Vincent a changé ma vie.

Je suis rentré à la maison ce soir-là et j'ai trouvé ma mère en train de pleurer sa vie, inconsolable. Elle venait de perdre sa mère, ma grand-mère. Personne n'était préparé à ce départ. J'étais tellement mal dans ma peau et renfermé sur moi-même que je n'ai pas su trouver les mots ou les gestes pour l'épauler. J'étais totalement impuissant, incapable de gérer cette situation. Je me sentais profondément démuni.

Lors de son décès, j'étais en conflit avec ma grand-mère maternelle. Quelques mois auparavant, elle avait eu un commentaire blessant à mon égard et j'avais été incapable de le lui pardonner. Je n'ai pas eu le temps de me réconcilier avec elle avant son départ et je m'en veux encore. J'ai la sensation que ça ne sera jamais réglé avec elle. Même aujourd'hui, chaque fois que j'atteins un objectif ou que je réalise un projet, je me

demande : ma grand-mère aurait-elle été fière de moi ?

• • • • • • • • • • •

Je vous suggère de vous réconcilier avec les êtres chers avec lesquels vous êtes en conflit, particulièrement s'ils avancent en âge. Mieux vaut voir partir les gens qu'on aime sans avoir de regret. Même si l'autre ne veut pas vous entendre, vous aurez au moins la satisfaction d'avoir essayé.

• • • • • • • • • • •

Ma mère était détruite. Moi aussi. Ce soir-là, mon monde s'est écroulé et j'ai atteint le fond du baril. J'ai appelé mon ami Fred avec qui j'ai eu envie de passer la soirée. Ses parents m'ont toujours accueilli à bras ouverts. Avant de me rendre chez lui, j'ai fait mes provisions : j'ai acheté de l'alcool et du « pot », un poulet, de la pizza, des frites, une tarte, un gâteau, des biscuits et des bonbons. Juste pour moi. Et j'ai tout mangé. En sortant de chez Fred, je me suis arrêté dans une chaîne de restauration rapide et j'ai englouti trois hamburgers. J'étais en train de commettre un suicide alimentaire. Lentement, mais sûrement, j'allais me tuer avec la nourriture.

En rentrant à la maison, je me suis couché dans un état second. J'avais bu, fumé, mangé... J'avais abusé de tout. J'écoutais le bruit de mon cœur et je sentais ma pulsation cardiaque comme après un entraînement. J'étais au repos, mais mon cœur battait vite et fort. Puis soudainement, ce déchirement, ce serrement aigu au niveau de la poitrine. J'éprouvais de la difficulté à respirer. À 19 ans, je venais de faire un infarctus.

Depuis 19 ans, je me tuais à petit feu. Depuis 5 ans, je me détruisais à la vitesse grand V, mais subitement, je découvrais que je voulais vivre. À cette heure critique, je ne me sentais pas prêt à partir. Pour la première fois depuis bien longtemps, je ressentais une urgence de vivre !

J'avais reçu toutes sortes de signaux par le passé, mais je n'en avais jamais tenu compte. Mes genoux me faisaient comprendre que j'étais trop lourd. Mon nez saignait à tout bout de champ. Ma tête, mon cerveau, tout mon corps criait son malaise, son mal-être, mais je refusais d'entendre. Ce soir-là, on aurait dit que mon corps tout entier m'annonçait sa démission. La vie venait de m'envoyer un message d'une limpidité et d'une clarté incroyables.

. . . .

N'attendez pas que votre corps démissionne en partie ou en totalité. La vie est belle, prenez-en soin. N'attendez pas qu'il soit trop tard pour réaliser qu'elle vaut la peine d'être vécue.

. . . .

J'ai compris ce jour-là que je ne voulais pas mourir. Mon corps non plus ne le voulait pas. Je me débattais. Je donnais des coups de poing, des coups de pied, je me déchaînais comme pour m'accrocher à la vie. Après quelques secondes, le serrement s'est dissipé. J'allais survivre. Je dois avouer que ce soir-là, je ne savais pas ce qui s'était passé, mais je savais que quelque chose de grave venait de se produire.

Trois mois plus tard, alors que j'avais commencé à m'entraîner, je me suis étiré le grand pectoral. Je croyais que je faisais une crise cardiaque. Au moment où j'ai passé des examens à l'hôpital, on m'a confirmé que j'avais bel et bien subi un infarctus trois mois plus tôt. Je faisais partie des 40 % de gens qui connaissent une défaillance cardiaque sans le savoir.

Cette nuit-là, alertée par le bruit, ma mère est venue me voir. Elle m'a trouvé assis sur le bord de mon lit, la tête entre les mains. Je lui ai suggéré d'aller se recoucher en ajoutant: «Demain, ça va changer». Elle a cru que j'étais en train de rêver. Pourtant, j'étais bel et bien éveillé. Je ne savais pas encore comment j'allais m'y prendre, mais j'avais décidé que ma vie allait changer.

Le lendemain, j'étais toujours aussi déterminé, mais j'ignorais par où commencer. J'étais jeune, sans moyens, sans aucune connaissance et sans outils. J'étais laissé à moi-même. Ma mère, qui m'avait tellement vu souffrir à travers mes différentes tentatives infructueuses de perte de poids, me conseillait d'attendre la chirurgie. Comme je vivais chez elle et que je dépendais entièrement de ses choix alimentaires, j'ai décidé de simplement réduire mes portions. Je mangeais encore sous-marins, pizzas pochettes et autres mets déjà préparés, mais je réduisais mes portions. Dans ma logique, cette manière de faire allait produire des résultats. Autre nouveauté, j'ai ajouté des légumes dans mon assiette, des aliments que je n'avais jamais considérés comme nécessaires... Les bébés carottes étaient assurément la «pire» chose que j'avais mangée depuis longtemps! Ça été le premier pas que j'ai osé faire pour changer les choses.

J'avais eu peur de mourir, je voulais maintenant maigrir à tout prix, et vite! J'étais prêt à tout tenter pour y arriver. Séduit par une publicité américaine qui promettait une perte de poids rapide, même en mangeant de la pizza, j'ai commandé des pilules pour maigrir. Je devais prendre deux fois par jour deux capsules d'un coupe-faim reconnu à l'époque. Fidèle à mon tempérament excessif, j'ai doublé la dose dès le premier matin. Je me disais qu'il fallait que je maigrisse... et rapidement! J'ai été incapable de fermer l'œil pendant trois jours et trois nuits! Même au repos, mon cœur battait si fort dans ma poitrine que j'aurais pu claquer. L'ingrédient actif qui produisait cet effet est la pseudoéphédrine, une substance euphorisante et stimulante. La dose recommandée par Santé Canada est de 8 milligrammes aux 4 à 6 heures. La quantité tolérable pour le cœur est de 32 milligrammes sur une période de 24 heures. J'avais absorbé 64 milligrammes... Pas besoin de vous dire que j'ai jeté cette cochonnerie aux poubelles et que ç'a été ma dernière tentative pour trouver une pilule miracle!

• • • • • • • • • • •

Vous voulez perdre du poids? Demandez l'avis d'un spécialiste. La meilleure perte de poids est celle qui se passe entre les deux oreilles, pas nécessairement celle qui nous est proposée par un vendeur de suppléments. Si la pilule magique existait, je la vendrais! Mieux vaut miser sur des valeurs sûres: le conditionnement physique, le conditionnement psychologique et le conditionnement alimentaire.

• • • • • • • • • • •

La bonne nouvelle, c'est que j'étais déterminé à me remettre en forme et j'allais tout faire pour y parvenir. J'étais enfin de retour sur le versant lumineux de la vie.

À MÉDITER

Avez-vous rencontré des gens qui vous ont influencé positivement? Nous ne rencontrons pas les gens par hasard; ils sont destinés à croiser notre route.

Si vous aviez à mourir aujourd'hui, quelle trace laisseriez-vous? Quel serait votre héritage? Auriez-vous l'impression d'avoir contribué au monde? De l'avoir positivement changé?

Vous avez la chance d'être en vie. Que voudriez-vous changer à votre existence? Quel est le premier pas qu'il vous faudrait faire pour obtenir ce changement?

CHAPITRE 4 :
LES COUPS DE MAIN DU DESTIN

« À force de persévérance, n'importe
qui peut parvenir à déplacer une montagne. »
– Proverbe chinois

M e remettre en forme était devenu mon principal objectif, mais encore fallait-il savoir par où commencer. J'ai décidé de me mettre à la marche. Existe-t-il une activité plus ennuyante pour un jeune de 19 ans qui n'a pas fait de sport depuis des lustres ? Par une température de - 40°C, j'ai mis quatre épaisseurs de pantalons de jogging en guise de pantalon de neige. Ma détermination n'a duré qu'une soirée. J'ai compris ce jour-là que je ne pouvais pas atteindre mon objectif en pratiquant une activité qui ne me procurait aucun plaisir.

• • • • • • • • • • •

Si on perçoit l'entraînement comme un sacrifice, on ne pourra pas s'y adonner à long terme. Si l'entraînement devient un moment privilégié avec soi-même et qu'on a le sentiment d'investir dans sa santé, on pourra persévérer. Même chose avec l'alimentation. Il faut trouver du plaisir à manger ce qu'on mange. Avant, ma relation avec les légumes tenait de la punition. En manger me procure maintenant une grande satisfaction !

• • • • • • • • • • •

Après la marche, j'ai voulu tenter l'expérience de la raquette. Alors que mon poids frôlait les 500 livres, il fallait voir l'air embarrassé du vendeur qui cherchait des raquettes pouvant supporter mon poids. Il a finalement déniché quelque chose qui me semblait aussi long que des kayaks et qui coûtait environ 600 $. Si j'étais tombé dans la neige avec ces raquettes-là, il m'aurait été impossible de me relever.

Toujours en quête d'une activité qui me plairait, j'ai décidé de me mettre à la natation. Le problème restait entier : où acheter un maillot à ma taille ? J'ai finalement trouvé un maillot 7X large sur eBay dont les motifs rappelaient les nappes à pique-nique en plastique de nos grand-mères.

C'est fort, le subconscient. Tout ce qu'on a vécu depuis notre naissance, et peut-être avant, est enregistré dans cette mémoire et influence nos pensées. À ma première sortie à la piscine, j'ai été happé par un tsunami de pensées négatives. On m'avait tellement conditionné à jeter un regard dur sur moi-même que toutes les pensées que j'entretenais à mon égard ont ressurgi du même coup : je n'allais pas réussir, j'étais un bon à rien, je n'en valais pas la peine, et j'en passe ! À force d'entendre ce discours, j'ai fini par y croire et j'ai même fini par vouloir prouver aux autres qu'ils avaient raison.

Après deux longueurs de piscine, on a dû m'expédier à l'hôpital en ambulance. J'étais en pleine crise respiratoire. Encore
une fois, j'ai eu peur d'y laisser ma peau. Je pense que bien des
gens auraient abandonné à cette étape-ci. Pas moi. Le lendemain, je suis retourné à la piscine, et j'ai fait quatre longueurs
de piscine... et suis retourné à l'hôpital pour un traitement
d'inhalothérapie. Le premier mois, j'ai régulièrement abouti
à l'hôpital. J'ai fini par tourner la situation en dérision en me
vantant de connaître quasiment tout le personnel infirmier!

Enthousiasmé par ce début de remise en forme, je me suis inscrit au gym pour faire de la musculation. À cause de mon poids
hors norme, j'ai littéralement défoncé deux appareils: le tapis
roulant et l'escaladeur. Disons que mon abonnement à 28 $ par
mois n'avait pas été rentable pour ce centre... J'étais quand
même déterminé à poursuivre. Dans l'esprit de bouger encore
plus, je me suis acheté un vélo de montagne. À chaque balade,
j'avais une crevaison. Je pense avoir déboursé au moins 200 $
pour des chambres à air cet été-là. On a fini par me proposer
une super tripe deux fois plus épaisse, et ça a marché.

Ma perte de poids semblait se concrétiser! J'avais fondu de
75 livres. Il ne faut jamais sous-estimer les motivations qui
peuvent sembler farfelues. Parfois, le simple fait de pouvoir porter un vêtement précis peut devenir un objectif stimulant. Personnellement, je rêvais de porter un jour une veste Arc'teryx
pour la randonnée pédestre. Cinq ans plus tard, j'allais devenir
ambassadeur québécois de cette entreprise; je vous expliquerai
dans quel contexte plus tard. Chaque petit objectif me gardait
motivé. Je continuais de dresser ma liste de buts à atteindre et
je détaillais mes objectifs.

Plus je perdais du poids, plus je prenais de l'assurance. Chez
Future Shop, on a vite constaté que j'avais un potentiel in-

soupçonné. Conséquemment, on m'a confié plus de responsabilités. Des appareils ménagers, je suis passé à l'audio pour l'auto. Je gagnais bien ma vie. Entretemps, Jean-Vincent était devenu le patron du magasin. Encouragée par mes performances, la direction m'avait inscrit à des formations de gérant. Jean-Vincent, toujours aussi enthousiaste à mon égard, se disait convaincu que nous allions ouvrir ensemble des magasins partout au pays, jusqu'à Vancouver.

Je ne pensais qu'à mon travail. Ma vie tournait uniquement autour de Future Shop. À l'instar de Jean-Vincent, je rêvais à mon tour de devenir gérant de magasin. J'étais si entiché de mon emploi que je travaillais six jours par semaine. Le septième jour, j'allais quand même au magasin pour prendre de l'avance! Je n'avais plus de temps à moi, même mes temps libres étaient consacrés à l'entreprise. Un profond déséquilibre s'était installé dans ma vie.

Depuis, j'ai appris à mieux me connaître. Je sais que de nature, je suis entier, passionné. Ma conjointe Joanie joue un rôle essentiel à cet égard : elle met un peu de nuances dans ma vie. Elle m'a appris que rien n'est tout à fait noir ou tout à fait blanc. Grâce à elle, je sais maintenant qu'il existe une multitude de teintes entre ces deux extrêmes.

Le premier été suivant le début de ma perte de poids, je me suis mis à la randonnée pédestre. Je crois sincèrement que cette activité m'a sauvé la vie. J'allais me recueillir dans la nature. Une forêt ne nous juge pas, les animaux non plus. Au Saguenay, j'avais le bois et le fjord, et à eux seuls, ils m'ont permis d'économiser au moins 10 000 $ d'honoraires de psychologue!

• • • • • • • • • •

« Il n'y a pas de wi-fi en forêt, mais je vous assure qu'il y a là une excellente connexion. » – Auteur inconnu

• • • • • • • • • •

Devant ma perte de poids qui l'avait inspiré au plus haut point, Jean-Vincent s'était également repris en main. Il a perdu du poids, beaucoup de poids. J'étais devenu une inspiration pour mon propre patron!

Cet été-là, Jean-Vincent m'a invité à participer à une réunion des gérants de Future Shop à Montréal. Durant le meeting, les gens me sont apparus beaucoup trop enthousiastes. Comme dans les films américains, on hurlait et scandait le nom de l'entreprise. J'ai remarqué que l'assistance était particulièrement jeune. Je crois que le plus vieux des participants devait avoir 32 ans. J'ai questionné Jean-Vincent: où étaient donc les gérants plus âgés? «Il n'y en a plus!» m'a-t-il répondu. «Ils sont tous partis en congé de maladie pour *burn out* ou ils ont carrément quitté l'entreprise.» J'ai compris sur le champ que je ne voulais pas faire ce travail toute ma vie. Dans les semaines qui ont suivi, l'arrivée de la grande patronne des Future Shop de l'Est du Canada avait provoqué le départ de Jean-Vincent. Mon monde s'écroulait. On l'a remplacé par un gérant qui n'avait ni sa gentillesse, ni sa finesse.

Malgré mes 380 livres, j'avais pour projet d'effectuer une randonnée pédestre qui reliait Rivière-Éternité à L'Anse-Saint-Jean. Même si on reconnaissait que j'étais un employé dévoué, j'ai dû insister pendant un moment auprès de la direction afin d'obtenir trois jours de congé. À l'automne, j'ai finalement eu droit à ce congé pour réaliser mon expédition, mais j'ignorais ce qui m'attendait. En deux jours, j'allais devoir marcher 30 kilomètres.

Le premier soir en montagne, inspiré par la beauté du fjord, j'ai vécu un moment décisif. Comme une grande prise de conscience sur la route à suivre dans ma vie, j'ai senti que ce que j'étais en train de bâtir chez Future Shop était un frein à mon évolution. Ce travail que j'avais tant aimé allait m'empêcher de revivre de telles randonnées. Pis encore, il était une entrave à mon épanouissement personnel et allait du même coup m'empêcher de me réaliser en tant qu'être humain. L'heure des choix avait sonné. Mais comment être sûr de la décision qu'il me fallait prendre?

• • • • • • • • • •

Pour essayer de voir clair en moi, j'ai fait un arbre de décision: j'ai divisé une feuille de papier en deux en dressant une colonne d'arguments en faveur d'une option, et une autre, d'arguments contre. C'est un exercice extrêmement aidant que je vous invite à faire lorsque vous êtes ambivalent face à une importante décision à prendre.

• • • • • • • • • •

Je suis revenu transformé de mon expédition. Dès le lundi matin, en rentrant au travail, j'ai demandé qu'on réduise mes heures: je souhaitais devenir un travailleur à temps partiel. Le surlendemain, convaincu que sans études supérieures et sans diplôme, j'allais devoir consacrer ma vie à une entreprise, je me suis pointé à l'université pour m'inscrire au baccalauréat en enseignement de l'éducation physique et à la santé. Le directeur de module, Claude Bordeleau, m'a écouté avec beaucoup d'attention. Je n'avais qu'un DEP, je n'avais aucun diplôme d'études collégiales, mais je faisais preuve d'une détermination inflexible. Il a proposé que je commence mon bac avec le statut d'étudiant libre.

Je tiens à spécifier que monsieur Bordeleau a été déterminant dans mon parcours. Non seulement il a été présent pour moi, mais il était toujours disposé à m'écouter. Ceux qui étudient dans une université en région le confirmeront, les directeurs de module nous appellent par notre prénom, contrairement à certaines universités des grands centres où les étudiants sont un « code NIP ».

L'université m'était toujours apparue comme inatteignable, mais j'étais dorénavant un étudiant universitaire. Comme quoi, les rêves qui nous habitent sont réalisables, à condition de mettre les efforts nécessaires pour leur donner forme.

C'est à cette période que j'ai rencontré ma première blonde, Émilie. Nous avons passé quelques mois ensemble. Moi qui n'avais jamais fréquenté de fille, j'étais séduit par un seul critère : la beauté. Ça faisait 19 ans que j'étais au régime sec : je voulais sortir avec une belle fille. J'étais tellement heureux d'avoir quelqu'un dans ma vie ! Je me voyais déjà avoir une famille et une maison. Nous avons tenté de faire des activités ensemble, mais elle n'avait pas beaucoup d'intérêt pour la randonnée et les saines habitudes de vie en général ; ce qui est tout autre chose aujourd'hui ! Le jour où elle a exigé que je choisisse entre le plein-air et elle, ça été terminé entre nous. Ceci étant dit, Émilie est une brave fille intelligente que j'aime beaucoup et avec laquelle j'ai conservé des liens, mais nous sommes mieux chacun de notre côté.

L'automne suivant, je ne travaillais plus que 8 heures par semaine, et j'étais au bac à temps plein. J'avais encore perdu du poids et je me sentais mieux que jamais dans ma peau. À l'école, je n'avais que deux amis proches, Barbara et Robin. Dans mon programme, certains étudiants voulaient surtout faire la fête. J'étais incapable de m'identifier à eux parce que j'étais pressé d'arriver à mon objectif. Moi qui m'étais tant fait botter le derrière par la vie, je considérais que j'avais autre chose à faire que de me promener de party en party. Je respectais le choix de ces personnes, mais il était hors de question que mes soirées servent à cela !

C'est pendant mes études universitaires que j'ai réalisé à quel point j'avais peu d'habiletés pour les sports d'équipe. J'avais presque toujours tout fait en solitaire. J'avais perdu du poids seul, sans être accompagné. J'avais appris à bouger seul, sans les conseils d'un professionnel. Je m'étais consacré à la randonnée, au kayak, à la course à pied, à la nage, au triathlon. Dans les sports d'équipe, j'étais désorganisé. Pire encore, j'étais démuni.

Durant mes études, je suis devenu correcteur pour un chargé de cours. Je corrigeais les examens, notamment ceux des élèves de ma cohorte. L'information a coulé, les étudiants en ont été informés. Malgré mon impartialité, la nouvelle n'a pas eu l'air de plaire... Je suis devenu profondément détesté par plusieurs étudiants de ma cohorte. J'étais celui qui les corrigeait.

À l'université, j'ai rencontré plusieurs filles. J'avais du temps à rattraper et parole d'honneur, je l'ai rattrapé. J'avais une amie, Josée, avec laquelle je faisais du plein-air. Nous étions toujours ensemble. Qu'il s'agisse de bouger, de discuter ou d'aller prendre un verre au Petit Baril, l'énergie entre nous deux était vraiment bonne. Pour être tout à fait honnête, je m'étais beaucoup attaché à elle. Comme elle devait poursuivre ses études à l'Université du Québec à Montréal, elle a dû quitter la région. J'ai eu le cœur démoli, et pendant deux semaines, j'ai à peine été fonctionnel. Ç'a été ma première vraie peine d'amour.

Le bac devait prendre quatre ans, mais j'ai mis trois ans à le compléter. Je voulais avancer et le plus rapidement possible. Je gardais les yeux rivés sur mon objectif: devenir enseignant. Au Saguenay, être professeur est un travail vénérable. On dit qu'il faut en moyenne 18 ans pour obtenir un poste en enseignement dans la région. Vous comprendrez qu'on en rêve! Dans ma famille, il y avait des professeurs, et je les respectais au plus profond de moi-même. Je m'imaginais devenir un peu comme eux. J'imaginais même devenir comme ces professeurs de Harvard dans les films américains: avec un débardeur et un nœud papillon.

Je garde de beaux souvenirs de ces années. J'étais très fier d'être un étudiant universitaire.

Mon sens des affaires n'étant jamais très loin, je me suis mis à vendre du chocolat pour payer mes études. Tous les vendredis soirs, j'allais dans un commerce où on vendait des grains de café enrobés de chocolat à 25 cents l'unité. J'en mangeais 10. C'était mon plaisir coupable de la semaine. Un jour, il y a eu rupture d'inventaire de grains de café enrobés de chocolat. La marchandise, croyait l'employée, serait livrée dans un mois. Mais après ce délai, il était toujours impossible de les trouver. À la blague, l'employée m'a mis au défi : si je voulais des grains de café enrobés de chocolat, je n'avais qu'à en fabriquer. J'ai trouvé l'idée géniale. Après tout, on n'est jamais mieux servi que par soi-même.

Après m'être renseigné et avoir fait quelques démarches, j'ai suivi un cours à distance de chocolatier en Belgique, commandé des moules et différentes sortes de chocolat, acheté mes grains et produit huit prototypes de grains de café enrobés de chocolat. Pour être sûr de mon choix, je me suis posté au café pendant quelques jours pour les faire goûter aux clients afin de connaître leurs préférences.

Je me suis procuré des boîtes de petit format dans lesquelles je glissais six grains enrobés de chocolat, puis j'ai créé mon entreprise, Pur plaisir. La fabrication était tout ce qu'il y a de plus artisanale et se faisait dans mon petit appartement. Enthousiasmé par la demande, j'ai développé un caramel à base de café et d'autres produits. Je fournissais 150 boîtes de chocolat par semaine au café du coin et à ses succursales. Le succès était au rendez-vous.

J'étais devenu tellement obsédé par mon entreprise que j'en oubliais mes études. La réalité m'a rattrapé et il fallait trancher : devais-je quitter le bac pour m'occuper de ma compagnie à temps plein ou poursuivre mes études ? La réponse était évidente : je n'allais quand même pas foutre en l'air trois ans d'université pour des grains de café.

C'est à Ville de La Baie que j'ai effectué mon dernier stage. À cette époque, la rumeur circulait à l'effet que le gouvernement s'apprêtait à augmenter les heures d'activité physique obligatoires dans les écoles. Profitant du momentum, j'ai envoyé mon CV partout : du Nunavut aux petits villages des quatre coins du Québec. J'étais prêt à enseigner n'importe où. À Saint-Zotique, en Montérégie, on avait besoin d'un professeur sur le champ. Mon directeur de module a accepté de s'occuper de moi personnellement. La procédure n'était pas habituelle. Il devait se déplacer de Chicoutimi à Saint-Zotique pour me superviser ! À quelques reprises, il a parcouru plus de 12 heures d'automobile pour m'évaluer. Je le dis et le redis : M. Bordeleau est un chic type.

J'avais terminé mes études, trouvé une source de valorisation personnelle et un travail dans le domaine que j'aimais m'attendait. Enfin ! L'avenir s'annonçait prometteur.

À MÉDITER

Avez-vous déjà pris le temps de vous arrêter pour dresser une liste des personnes qui vous ont aidé dans votre vie ? Quelles sont les phrases qu'on vous a dites et qui vous ont le plus marqué ?

Vous sentez-vous épanoui sur le plan professionnel ? Croyez-vous que vous êtes au bon endroit ? Rêvez-vous de travailler dans un autre domaine ? Espérez-vous un jour démarrer votre propre entreprise ?

CHAPITRE 5

LA FORCE DU GROUPE

« Se réunir est un début, rester ensemble est
un progrès, travailler ensemble est la réussite. »
— Henry Ford

Après avoir perdu près de 300 livres, il fallait me rendre à l'évidence : ma peau ne pourrait jamais épouser ma nouvelle silhouette. Mon ventre formait ce qu'on appelle communément un tablier. Un pan de ma peau retombait sur mon bas-ventre, favorisant un milieu humide où bactéries et champignons s'étaient formés. Au niveau des cuisses, j'éprouvais le même problème. Quand on est un obèse morbide, les cuisses frottent constamment l'une contre l'autre, et ce frottement continu favorise l'éclosion de boutons douloureux. Ma peau était constamment à vif et d'immenses plaies noires et mauves couvraient mon entrejambe.

J'ai pris rendez-vous avec un dermatologue qui a immédiatement statué qu'il fallait enlever le surplus de peau. J'ai consulté un chirurgien qui a proposé de m'opérer l'abdomen et les cuisses en échange de 12 000 $. Je n'avais pas cet argent et la banque a refusé de m'accorder un prêt.

Je me suis tourné vers un membre de ma famille à qui mon père avait jadis prêté une somme d'argent. Puisque plusieurs années après ce parent avait gagné à la loterie, j'ai pensé qu'il allait me consentir ce prêt que je rembourserais au même taux que la banque. À regret, il a refusé, prétextant que s'il m'aidait, tout le monde lui demanderait de l'argent. Avec le temps, je me suis dit que j'aurais probablement fait la même chose dans sa situation. L'argent peut souvent être au cœur de bien des conflits...

J'avais donc un problème : j'avais cru que cet homme pouvait être ma solution, mais ce n'était pas le cas. Aujourd'hui, je le remercie car j'ai dû faire preuve d'imagination pour trouver une autre solution. Je me suis découvert une résilience et une détermination pour arriver à mes fins.

• • • • • • • • • • •

J'ai tiré une grande leçon de cette expérience. On croit parfois qu'il existe une solution facile à chaque problème alors que ce n'est pas le cas. Lorsque rien ne fonctionne selon nos plans, mieux vaut avoir un plan B, et même un plan C pour pouvoir aller de l'avant. Les choses se mettent rarement en place du premier coup.

• • • • • • • • • • •

J'étais découragé. Devant ma détresse et ma détermination à passer sous le bistouri, le chirurgien a voulu m'aider : il croyait tellement en moi qu'il a préparé pour la Régie de l'assurance maladie, et je cite, « un rapport lourd et détaillé » en faveur de cette opération. Il espérait donc que l'État assume ma chirurgie.

Porté par la confiance du chirurgien, je suis ressorti de son bureau le cœur gonflé d'espoir. J'étais heureux. Pour la première fois de ma vie, je me sentais appuyé. Quelqu'un croyait en moi. Grâce à cet homme, j'allais me faire opérer. Mieux encore, la Régie allait assumer les coûts. Trois semaines plus tard, la RAMQ rendait sa décision: elle refusait de procéder à la chirurgie. Je me souviens encore du sentiment d'abandon que j'ai ressenti. Je n'arrivais pas à expliquer cette décision qui me semblait tellement absurde. Après tout, la Régie de l'assurance maladie du Québec aurait volontiers assumé les coûts d'une dérivation, opération que j'avais refusée. Maintenant que j'avais perdu tout ce poids par moi-même, on refusait de m'opérer. C'était à n'y rien comprendre.

Ce jour-là, ma sœur m'a trouvé assis dans mon lit, démoli, inconsolable. Fidèle à mes habitudes, j'ai broyé du noir pendant deux jours, mais j'ai refusé de me laisser abattre. Je savais que la vie me réserverait d'autres difficultés et qu'il me fallait faire preuve de résilience. Il était hors de question d'abandonner.

• • • • • • • • • • •

«En te levant le matin, rappelle-toi combien est précieux le privilège de vivre, de respirer et d'être heureux.» – Marc Aurèle

• • • • • • • • • • •

Pour aller de l'avant, il me fallait comprendre pourquoi la RAMQ avait refusé de débourser le montant de l'opération. Je l'ai donc appelée. L'homme qui a répondu était avenant et il a pris le temps de répondre à mes questions. Il aurait fallu que je prouve, disait-il, que ma vie était en danger et que cette situation nuisait à ma santé. Après avoir dormi sur ces informations, j'ai décidé de consulter le rapport que le chirurgien avait rédigé à mon intention. Je l'ai demandé à sa secrétaire qui a refusé en invoquant la confidentialité. C'était quand même de moi dont il était question dans ce dossier, comment pouvait-il être confidentiel? L'argument ne tenait pas!

Après avoir insisté et débattu mon point, j'ai finalement reçu le fameux rapport «lourd et détaillé» du chirurgien qui prétendait croire en moi: il tenait en quelques phrases. Dans les grandes lignes, il disait ceci: «J'ai un patient nommé Jimmy Sévigny qui pesait 450 livres et qui en pèse maintenant 200. Il aurait besoin d'une opération. Toutefois, je ne peux démontrer que cela nuit à sa vie de tous les jours. Cordialement.» Ça, c'était son effort ultime pour m'aider à obtenir une intervention chirurgicale aux frais de l'État.

La notion de numéro dans le système de santé a pris tout son sens pour moi à ce moment-là. Je me sentais impuissant, frustré, en colère. J'ai voulu abandonner mes démarches, mais deux jours plus tard, j'étais de nouveau en mode combat. J'étais en vie, j'avais la santé, je n'avais pas le droit d'abandonner. Mais surtout, il était hors de question de laisser cet homme décider de ma vie.

• • • • • • • • • •

La seule personne qui peut te dire que tu n'en es pas capable,
c'est toi, et tu n'es pas obligé de t'écouter. – Anonyme

• • • • • • • • • •

C'est à cette période que j'ai entendu parler du Dr Pierre Dubois à Roberval. Je suis allé à sa rencontre et lui ai raconté mon histoire. Il m'a donné l'heure juste: il voulait m'appuyer, mais seul, croyait-il, il ne ferait pas le poids. Il avait besoin d'appui pour étayer cette démarche. C'est là que j'ai compris ce que signifie travailler en équipe.

J'ai consulté mon médecin de famille, Dr Marcel Gauthier, qui m'avait vu travailler sans relâche pour perdre du poids. Je suis allé voir une psychologue, un dermatologue. Tous ces intervenants ont fourni un rapport en ma faveur. Ragaillardi par ces appuis, j'ai sollicité mon député. Il s'est engagé à débattre de mon cas à l'Assemblée nationale si on refusait de m'opérer.

• • • • • • • • • •

Parfois, seul, on ne fait pas le poids, mais le travail d'équipe crée une synergie qui fait avancer les choses. Il ne faut jamais sous-estimer notre place au sein d'un groupe. Même si elle ne nous apparaît pas comme étant importante, elle l'est. Prenons l'exemple d'un vendeur étoile d'un concessionnaire automobile.

Croyez-vous qu'il brillerait autant s'il n'avait pas un ou des réceptionnistes pour prendre ses appels; un directeur commercial pour fermer ses ventes; des mécaniciens pour réparer les autos qu'il vend; un concierge pour polir le plancher chaque soir afin que les clients se sentent privilégiés de fréquenter cet endroit? La réponse est NON! Ce qui permet à cette personne de rayonner autant, c'est une équipe qui l'épaule au quotidien.

• • • • • • • • • •

Après toutes ces démarches, j'ai finalement eu droit à mon opération en 2003. Une opération qui, on s'en doute, allait contribuer à améliorer ma vie.

C'est le Dʳ Dubois qui a procédé à la chirurgie, laquelle a duré six heures, soit le double du temps prévu. La température des salles d'opération est toujours basse, si bien qu'à mon réveil, j'étais non seulement dans les vapes, mais aussi en hypothermie. C'était la panique généralisée. Ma mère, appelée en renfort, s'est précipitée à mon chevet. Je tremblotais. On m'a raconté que lorsqu'elle a posé sa main sur mon front en disant: «Maman est là, tout va bien», je me suis instantanément calmé. Le réconfort d'une mère rivalise avec toutes les piqûres, pilules et compresses du monde.

J'ai eu très mal. On avait refermé la peau avec une centaine de points de suture non fondants qu'il a fallu enlever un à un. Pour m'aider à supporter la douleur, on a mis à ma disposition une pompe à morphine. Si ma mémoire est bonne, j'avais droit à six gouttes par jour. Une goutte et j'étais au paradis! Dans les jours qui ont suivi l'opération, la douleur était si intense que j'ai vécu un véritable délirium. J'appelais, je sonnais, en vain : aucune infirmière n'était là pour s'occuper de moi. J'ai su par la suite que deux ambulances s'étaient pointées au même moment au centre hospitalier de Roberval et que tout le personnel sur place avait été mobilisé. Ça, c'est la réalité des régions...

Des drains installés lors de l'intervention avaient dû être retirés quelques semaines plus tard : une expérience des plus pénibles. Chaque fois qu'on tirait pour les extirper de ma chair, j'avais l'impression qu'on m'arrachait une partie du corps... Mais si l'opération était à refaire, je repasserais sous le bistouri sans aucune hésitation. J'ai beaucoup souffert, mais j'ai appris à relativiser et à gérer la douleur. La chose a du bon. Aujourd'hui, souffrir un peu physiquement ne m'empêche pas d'avancer.

Peu après l'opération, par l'intermédiaire d'Internet, j'ai fait la connaissance d'une fille de Québec. J'étais encore en convalescence, mais nous avions prévu une rencontre. Elle disait avoir hâte de me voir et de passer du temps avec moi. Je n'ai pas osé lui dire que je venais de me faire opérer et encore moins pourquoi !

Je l'ai invitée à visiter Expo Québec. Pour une raison qui m'échappe encore, ma jambe gauche grossissait : une bulle de liquide lymphatique s'était formée et s'écoulait à travers la plaie. La bulle a finalement éclaté. J'ai dit à la fille que c'était de la pluie, alors qu'il n'avait pas plu depuis des jours. Pour rien au monde je n'aurais voulu qu'elle sache que j'étais un ex-gros... À ce moment-là, je n'étais pas à l'aise avec mon passé, je n'acceptais pas mon corps encore enflé et plein de points de suture.

Invité à monter à son appartement, je n'avais aucune échappatoire. Ses attentes étaient claires, elle voulait que je la masse. Je me suis exécuté puis, lorsque j'ai eu fini, je lui ai donné une petite tape sur l'épaule en lui souhaitant une bonne soirée... et je me suis enfui! Elle m'a supprimé de ses contacts sur le champ; je crois qu'elle s'attendait à plus que cela. :)

En 2012, lorsque j'ai appris que j'allais officiellement être un des coachs de l'émission *Le Parcours*, j'ai décidé de passer de nouveau sous le bistouri. J'ai confié la tâche à un chirurgien réputé, le Dr Frédéric Croteau. J'ai subi une gynécomastie (chirurgie de la poitrine) et une brachioplastie (chirurgie des bras). Comme ces interventions étaient effectuées au privé, je les ai payées et j'ai été à même de constater que le service n'est pas le même que dans le régime public. J'avais été accepté dans un délai de trois semaines, et deux suivis après l'opération, j'étais fonctionnel et tout à fait rétabli.

Les cicatrices sur mon ventre ont mal guéri et malgré le temps passé, elles ont laissé des traces. Certains me demandent si j'ai des regrets. Non, jamais. De toute manière, les regrets ne servent à rien... Au final, j'ai atteint mon but et je dois admettre que chaque obstacle rencontré m'a permis de devenir plus fort.

Lorsque je songe à mon parcours, je constate que la vie m'a réservé plusieurs souffrances, mais elles m'ont permis de développer la sensibilité nécessaire pour comprendre l'Autre. Ces souffrances ont pavé la voie à de grands bonheurs et sont depuis quelques années à la source de mes accomplissements. Ce que j'ai traversé m'a permis de devenir l'homme que je suis et m'a bien humblement donné envie d'en inspirer d'autres. Si c'est le cas, rien n'aura été vécu en vain.

À MÉDITER

*Avec le temps, j'ai réalisé que la vie est
une véritable jungle où l'on doit souvent
se battre pour obtenir ce qu'on désire
réellement. Ce que vous souhaitez obtenir,
10, 100 ou même 1 000 autres personnes le
convoitent également. Ma manière d'agir
face à un refus ? Aussitôt qu'une porte se
ferme, j'essaie d'en ouvrir une autre et je
continue jusqu'à ce que j'aie ouvert toutes
les portes. Et vous ? Lorsque vous tentez
d'obtenir quelque chose, mais que vous
essuyez un refus, quelle est votre réaction ?
Est-ce que vous abandonnez ou est-ce que
vous poursuivez quand même ?*

CHAPITRE 6 :
REPRENDRE SA VIE EN MAIN

◇◇◇◇◇◇◇◇◇◇◇◇◇◇◇◇

« Si vous voulez changer les fruits d'un arbre, vous devez changer ses racines. Si vous voulez changer ce qui est visible, vous devez changer ce qui est invisible. » — T. Harv Eker

◇◇◇◇◇◇◇◇◇◇◇◇◇◇◇◇

Perdre des kilos ne représentait qu'une partie du processus. Mon corps était guéri, mais ma tête était loin de l'être. De par leur éducation, leurs pensées et leurs conditionnements, les humains sont programmés et ne changent pas vraiment. Ils s'améliorent, et ce, seulement à condition d'y travailler très fort.

Notre discours intérieur est très puissant. Il est si facile de revenir à nos anciennes habitudes. Dix-neuf ans de mauvaises habitudes alimentaires et de discours stériles laissent des traces indélébiles. Lorsque je vis un événement difficile, mon subconscient peut facilement se retrancher dans une zone

qu'il connaît bien. Mes vieilles habitudes sont comme mon bunker, mon château fort. Je dois exercer une certaine vigilance pour ne pas y retourner.

Quand je vivais chez mon père, il s'absentait régulièrement. J'avais pris l'habitude de m'occuper de la maison, j'achetais ma nourriture. Je me sentais fort parce que je vivais dans un environnement connu que je contrôlais totalement. Et pendant ma deuxième année du bac, j'avais rencontré ma première conjointe, celle avec laquelle j'ai passé 10 ans de ma vie. Quand je suis parti pour mon stage à Saint-Zotique, où j'étais hébergé au sein d'une famille nombreuse qui accueillait des étudiants, je me suis retrouvé tout d'un coup loin de ma blonde, de ma famille, de mes amis. Cette situation de déracinement a précipité ma dérive. J'avais perdu mes points de repère. En plus, là où j'habitais, il y avait trois réfrigérateurs et deux congélateurs...

Si ça n'avait été que de cela, peut-être aurais-je tenu le coup, mais je dois avouer que mon premier contrat d'enseignement a été assez exigeant. Je sortais de l'université et je crois bien humblement que je n'étais pas préparé à enseigner à ce type de clientèle. Je travaillais dans trois écoles différentes avec des élèves qui n'étaient pas très sympathiques à ma cause. Dans une de ces écoles, certains élèves m'accusaient d'être responsable du départ de l'enseignant que je remplaçais. Dans une autre, j'enseignais un seul jour par semaine, mais chaque fois, j'en bavais tellement que je me disais que je n'étais pas fait pour ce métier. Heureusement, mon opinion a changé lorsque j'ai obtenu mon poste dans une commission scolaire au sein de laquelle j'ai enseigné pendant cinq ans. J'ai été vraiment choyé : j'avais les meilleurs élèves et je travaillais avec des enseignants et enseignantes en or. Pour ce qui est de la directrice,

Lucie, nous étions deux personnes dynamiques, débordantes d'énergie. Nous avons vécu quelques situations qui ont provoqué des flammèches mais en général, nous formions une équipe d'enfer! :)

C'est donc à partir de cette époque, en 2006, que les choses ont commencé à mal tourner. Plus de Saguenay, plus de fjord, plus de forêt, plus d'amis, plus de blonde, plus rien. J'étais laissé à moi-même, dans un univers étranger. Sans aucun repère familier, j'ai perdu pied. J'ai perdu le contrôle.

• • • • • • • • • • •

S'offrir une barre de chocolat, une crème glacée ou un sac de chips n'a rien d'alarmant en soi. Le faire sans savoir pourquoi, ça l'est. Quand on mange encore et encore, sans même ressentir la faim, c'est qu'il y a un vide intérieur qu'on tente de combler.

• • • • • • • • • • •

Dans mes moments d'insécurité et d'anxiété, je pouvais passer à travers une tarte ou une boîte de céréales. Impuissant, je me voyais revenir à mes anciennes habitudes. Je venais de perdre 272 livres, et j'étais tellement fier d'avoir perdu ce poids par moi-même que je ne voyais pas la pertinence de demander de l'aide. Vers qui aurais-je pu me tourner? Seul et sans soutien, j'ai vécu de dérape en dérape. Je me couchais le soir le ventre plein, je me relevais «hangover» de bouffe. J'avais, on s'en doute, une piètre estime de moi-même.

J'ai fini par mettre en mots le mal qui m'affligeait. Au début, je croyais être boulimique, mais ce n'était pas le cas, car je ne me faisais pas vomir. J'ai découvert que je souffrais d'hyperphagie, c'est-à-dire que je mangeais de grandes quantités de nourriture sans me faire vomir. Coincé dans ce cercle vicieux depuis deux mois, je suis tombé par hasard sur un regroupement pour les gens aux prises avec des troubles alimentaires.

Et si c'était pour moi ? J'ai décidé d'aller à une rencontre pour en avoir le cœur net.

Installés autour d'une table, les gens livraient des témoignages de problématiques qui ne ressemblaient pas du tout à la mienne. D'un côté, les anorexiques en panne d'énergie étaient quasiment couchés sur la table à raconter leurs privations. De l'autre, les boulimiques et les hyperphagiques racontaient leurs excès. L'un était tombé sur un sac de farine la veille et l'avait mangé à grandes poignées. Un autre avait fait la même chose, mais avec du gruau. Entre cinq livres de farine et une poche de gruau, je ne me reconnaissais pas du tout ! Les anorexiques écoutaient ces récits, manifestement dépassés par ce type de pulsions. Au centre, un modérateur tentait de stimuler les discours en questionnant les anorexiques : « Et toi, qu'est-ce que tu as mangé ? »

Incapable de m'identifier à ces gens et à leurs problèmes, je suis ressorti de cette réunion en tirant la conclusion que ma vie allait très bien, merci !

Je n'ai jamais pris de cocaïne ou quelconque drogue forte de ce type, mais j'imagine qu'une telle dépendance doit ressembler à celle que je vivais avec la nourriture. Cet appel puissant précédait la dérape. Je voulais manger. J'étais professeur d'éducation physique, j'avais perdu près de 300 livres, on disait de moi que j'étais un modèle à suivre, mais lorsque cette pulsion m'assaillait, plus rien n'avait d'importance. En fait, c'est comme si le cerveau reptilien prenait le contrôle. On tombe en mode survie, prêt à tout pour combler les besoins primaires qui refont surface.

C'est en surfant sur Internet que j'ai découvert que je souffrais d'hyperphagie. Ce trouble alimentaire comporte son spectre de symptômes. Je crois qu'il y a en nous une part hyperpha-gique à un certain degré et qu'elle peut se manifester à un moment ou à un autre de notre vie. La compulsion alimen-taire a plusieurs visages entre ceux qui mangent un peu trop sans trop savoir pourquoi et ceux qui peuvent ingurgiter 10 000 calories sans jamais être rassasiés.

• • • • • • • • • • •

Ce mal-être fait toujours partie de ma vie. Je me suis rendu compte qu'il est directement lié à mon niveau de bonheur, d'estime de moi-même, de confiance en moi et d'amour-propre.

• • • • • • • • • • •

J'ai compris que l'hyperphagie fait partie de ma personnali-té. Et je l'accepte. Par contre, je sais pertinemment que je ne retournerai plus jamais aux situations extrêmes que j'ai vé-cues par le passé. J'ai constaté que ce trouble est en lien avec mon estime de soi et mon niveau de bonheur. À une certaine période de ma vie, je pensais que j'étais heureux, mais ce n'était pas le cas. J'étais encore à me définir, toujours en quête d'identité. Je voulais réussir, je devais performer. J'ai choisi de ne plus m'imposer cette pression.

Aujourd'hui, ce trouble ne se manifeste plus. Ou presque plus. Ma vie a changé, je suis plus heureux, je me sens bien. J'ai des projets qui m'emballent, je reçois des propositions profession-nelles enthousiasmantes, mon estime de soi se porte bien. Je suis conscient d'être la source directe de mon bonheur.

• • • • • • • • • • •

Et vous ? Êtes-vous en charge ou à la remorque des gens autour de vous ? Attendez-vous que les autres vous rendent heureux ou êtes-vous en mesure de créer votre propre bonheur ?

• • • • • • • • • • •

Depuis que je partage ma vie avec Joanie, je suis épanoui dans ma vie amoureuse et les épisodes d'hyperphagie se produisent

très rarement. Oui, il m'arrive de sentir le besoin de m'abandonner à la compulsion alimentaire, mais je suis capable d'y mettre un terme très rapidement.

Parmi les grandes qualités de Joanie, je tiens à souligner sa capacité à me décoder. Son talent pour la chose a permis de désamorcer bien des situations qui auraient pu dégénérer. Quand je suis fâché, par exemple, elle m'écoute, me fait nommer mes émotions, et me rappelle de ne jamais agir sur le coup de la colère. Sa sagesse m'inspire. Plusieurs événements des dernières années auraient pu me transformer en une bombe à retardement. Grâce à elle, j'ai appris à prendre du recul, à maîtriser mes impulsions et à me remettre en question avant de passer à l'action. Apprendre à contenir son impulsivité est un long processus.

· · · · · · · · · · ·

Le fait d'être plus heureux peut naturellement diminuer les crises d'hyperphagie. Si vous êtes tourmenté par votre comportement alimentaire, il existe plusieurs avenues pour régler ce problème. Parmi les solutions facilement accessibles, il y a la psychothérapie, ou encore un regroupement comme ANEB (Anorexie et boulimie Québec) que je vous invite à contacter si vous en ressentez le besoin. www.anebquebec.com

· · · · · · · · · · ·

Derrière l'obésité se cache toujours une problématique, un ensemble de facteurs qui crée un déséquilibre. Je n'ai jamais rencontré quelqu'un qui soit obèse juste pour le plaisir d'être gros. Les émotions des hyperphagiques sont généralement refoulées, mais dans leur cas, ça se voit. Comme je leur dis toujours: «Ce que vous mangez en cachette finira un jour ou l'autre par se voir en public.»

Le mal de vivre s'exprime de bien des manières. Certains lisent pour se détendre, d'autres magasinent pour oublier, d'autres boivent trop ou sont violents. Pour moi, c'était la bouffe. Le problème, c'est qu'on ne peut pas vivre sans nourriture. On peut se débarrasser d'une relation toxique qui nous empoisonne l'existence, que ce soit avec l'alcool, la drogue, une personne, mais lorsque la nourriture est le problème, on doit réapprendre à vivre avec elle quotidiennement. Si une poitrine de poulet accompagnée de légumes comble généralement l'appétit, lorsqu'un désordre émotif surgit, ce ne sera ni suffisant, ni satisfaisant. À ce moment précis, on cherchera à calmer notre malaise en mangeant des aliments «réconfortants» qui sont pour la plupart riches en sel, en gras, en sucre et du même coup... en calories!

Se reprendre en main implique de s'engager dans un processus, un long processus. Chaque être humain est différent. Il faut arrêter de se comparer, d'essayer de faire comme les autres, de croire qu'une seule technique peut être valable pour tout le monde et produire les mêmes résultats. Il n'y a pas de vérité universelle. Certains auront besoin de consulter un nutritionniste, un naturopathe ou un psychologue, d'autres bénéficieront des conseils d'un entraîneur. Chacun doit trouver sa voie.

Si vous souffrez de problèmes psychologiques, croyez-moi, il n'y a aucun plan alimentaire ou programme d'entraînement qui sera une solution durable; guérissez votre intérieur avant de vous attaquer à votre extérieur. Bien entendu, le fait de bien vous alimenter et de bouger vous aidera. Toutefois, si votre blessure est profonde, elle refera surface à la moindre occasion! Il doit d'abord y avoir un déclic qui nous amène à prendre la décision ferme de perdre du poids et de changer nos habitudes de vie. C'est généralement un événement

déclencheur qui nous pousse à le faire comme une crise cardiaque, un commentaire blessant, notre reflet dans le miroir.

Avant d'entreprendre une démarche de perte de poids et/ou de remise en forme, il faut identifier notre motivation profonde. Cette démarche doit être faite pour soi-même et non pour quelqu'un d'autre. Il y aura forcément des rechutes, des périodes de relâchement, mais plutôt que de toujours recommencer à zéro, on maintient une perspective à long terme, on met le cap sur la continuité. Vous êtes tanné de recommencer? Arrêtez d'abandonner!

Nous savons tous comment nous reprendre en main, et tout le monde peut y parvenir. N'importe qui peut retrouver la forme, perdre du poids et ajouter 10 ans à sa vie en suivant ces deux règles de base:

1- Diminuer le plus possible de son alimentation le sucre raffiné, le sel, les gras trans et les produits transformés;

2- Se mettre à la marche ou pratiquer une activité physique.

• • • • • • • • • • •

Perdre du poids est une chose, maintenir son poids en est une autre. Pour y arriver, il faut trouver une motivation à long terme.

• • • • • • • • • • •

Lorsque j'ai décidé de changer mon mode de vie, mon but était essentiellement de ne pas mourir. Si je survivais, je voulais avoir une blonde. Une fois mes objectifs atteints, j'ai repris 30 livres en deux mois... C'est dans ce contexte que j'ai compris que je carburais aux défis. J'ai besoin de savoir que j'ai toujours la possibilité d'avancer et du même coup, de relever un défi. Participer à un Ironman©, à un tournage de DVD d'entraînement ou à un show de télé me motive à rester en forme. Bien entendu, tous les humains ne fonctionnent pas ainsi, mais moi, c'est en me lançant des défis que je m'épanouis. Et vous, qu'est-ce qui vous motive?

L'élément le plus important de toute transformation est la motivation. Rien ne sert de vouloir tout changer du jour au lendemain, une montagne s'escalade un pas à la fois. Ceux qui changent toutes leurs habitudes du jour au lendemain finissent souvent par abandonner au premier écart. Mieux vaut modifier une habitude à la fois pour s'assurer de poursuivre son but lentement, mais sûrement.

Ce qui me permet aujourd'hui de conserver mon poids et de maintenir un équilibre dans ma vie, c'est sans conteste la possibilité de me faire plaisir de temps en temps. Je respecte la règle du 80-20. 80 % du temps, j'ai un mode de vie très sain et actif, et le 20 % restant, je me permets des écarts. Bref, malgré mon mode de vie bien réglé, je m'offre de temps en temps une certaine latitude.

Lorsque j'ai trop mangé, mon corps me rappelle mes excès dès le lendemain. Je me sens moins bien qu'à l'habitude. C'est normal, ma nuit de sommeil n'a pas servi à la récupération, mais à la digestion. Je reconnais que j'ai vécu un moment agréable, que je me suis fait plaisir, et je reprends mon mode de vie sain avec enthousiasme. Il ne faut pas abandonner ce qu'on a mis tant de temps à construire.

• • • • • • • • • •

«Quelles que soient les circonstances, faites simplement de votre mieux et vous éviterez de vous juger, de vous culpabiliser et d'avoir des regrets. Acceptez de ne pas être parfait, ni toujours victorieux.»

– Auteur inconnu

• • • • • • • • • •

À MÉDITER

Si vous avez tendance à trop manger ou à faire des mauvais choix, je vous suggère le truc des jetons. Procurez-vous deux jetons de poker, un rouge et un blanc. Chaque fois que vous aurez un choix alimentaire à faire, que ce soit à la maison ou au restaurant, posez vos jetons devant vous. Le jeton blanc représente l'option santé, celui qui va vous permettre de vous épanouir, d'avancer dans la vie, d'accomplir vos objectifs. Le jeton rouge est celui qui correspond au choix alimentaire qui ne vous permettra pas d'avancer vers votre objectif. Ce n'est ni bien ni mal, mais soyez conscient de votre décision. Gardez le jeton choisi bien visible afin de vous rappeler que dans la vie, à quelque niveau que ce soit (nourriture, travail, amour, etc.), le résultat naît d'une succession de décisions. Ce que vous verrez dans le miroir durant les prochains mois sera le résultat des choix que vous aurez faits au jour le jour.

CHAPITRE 7 :
CROIRE EN SES RÊVES

« Le succès n'est pas final, l'échec n'est pas fatal : c'est le courage de continuer qui compte. »
— Sir Winston Churchill

Alors que j'étais encore aux études, Chicoutimi a été l'hôte du congrès des kinésiologues et des éducateurs physiques du Québec. Comme il me restait quelques cours pour compléter mon bac, dont un cours de 1 crédit qui s'appelait Projet à la santé, j'avais proposé à mon directeur de module, en guise de travail de session, d'offrir une conférence durant le congrès. La première partie de mon intervention porterait sur ma vie. Durant la seconde partie de la conférence, je comptais expliquer comment modifier un gymnase pour le rendre accessible à des obèses. Me témoignant encore une fois sa confiance et son appui, M. Bordeleau avait accepté.

J'ignorais à ce moment que cet événement allait déterminer la suite des choses.

Mon atelier affichait complet. En arrivant dans la salle, j'ai vite constaté que les participants posaient sur moi un regard étonné et que quelques personnes semblaient déçues. Ces professionnels de la santé ne s'attendaient pas à ce qu'un «p'tit cul» leur présente une conférence. Avant même d'ouvrir la bouche, j'ai vu que certains craignaient perdre leur temps. J'ai commencé mon atelier en faisant preuve d'humilité : je n'avais rien à leur apprendre parce qu'ils étaient tous des professionnels dans leur domaine, mais j'allais leur raconter mon parcours. S'ils avaient des rêves à réaliser, je voulais les encourager à les poursuivre, parce que moi, j'avais réalisé les miens.

J'ai donné ma conférence devant un public muet, sans réaction. On m'écoutait, sans plus. Inquiet de ma performance, j'ai questionné les gens dans l'assistance à la fin de mon intervention : avais-je répondu à leurs attentes ? Étaient-ils satisfaits de mon atelier ? Je voulais entendre leurs commentaires. Un homme s'est levé et m'a dit textuellement : «Jimmy, ta conférence était bonne en tabarnak !» Et les gens ont applaudi à tout rompre. J'étais soulagé : j'allais avoir mon crédit !

Après la conférence, une des participantes m'a demandé de lui laisser mon adresse courriel, sans trop m'expliquer pourquoi. Deux semaines plus tard, je recevais un mot de sa part : elle souhaitait m'embaucher pour son congrès national et voulait me rencontrer. Ce courriel inespéré était signé Judith Fleurant, vice-présidente chez Énergie Cardio. J'habitais au Saguenay, ses bureaux étaient à Blainville, mais en moins de deux, je sautais dans le vieux débris qui me servait de voiture pour aller à sa rencontre.

Judith croyait en mon potentiel de conférencier. Elle m'avait laissé la carte professionnelle d'un homme qui possédait une agence et à qui elle avait déjà parlé de moi. Il attendait mon appel. Je l'ai appelé et je lui ai aussitôt déballé mon histoire : j'étais un ex-obèse qui avait perdu du poids... À peine ma phrase terminée, il m'a balancé : «Ce genre de conférence n'offre aucun débouché ; ça ne se vend pas !», et il a raccroché. Trois semaines plus tard, j'ai repris le téléphone et je l'ai rappelé. Il m'a reconnu et encore une fois, il a refusé d'écouter mon histoire jusqu'au bout. «Écoute, Jimmy, m'a-t-il dit, je n'ai peut-être pas été assez clair la première fois, mais non seulement tu perds ton temps, mais tu me fais perdre le mien.» Et il a raccroché.

Comme je n'étais pas prêt à me laisser abattre, un mois plus tard, je l'ai rappelé avec le même ton enthousiaste et j'ai recommencé mon baratin : «Bonjour monsieur ! C'est Jimmy Sévigny. Vous allez vraiment prendre une mauvaise décision d'affaires si vous ne prenez pas le temps de m'écouter», lui ai-je dit. Exaspéré et pour se débarrasser de moi une fois pour toute, il m'a dit de me présenter à la journée Découverte où des aspirants conférenciers allaient être entendus par des recruteurs de l'agence. J'allais être le onzième en lice ce jour-là. Donc, quand mon tour est arrivé, les décideurs de l'agence en avaient déjà vu dix avant moi. Au départ, on m'avait accordé une heure pour présenter ma conférence, mais à la dernière minute, on m'a recommandé de boucler le tout en moins de 30 minutes. J'ai saisi l'opportunité qui m'était offerte et j'ai donné tout ce que j'avais à offrir. Au final, j'ai été l'un des seuls conférenciers dont l'agence a retenu les services ce jour-là. Le directeur de l'agence ne tarissait pas d'éloges à mon endroit. J'avais, disait-il, le potentiel pour devenir l'un des meilleurs conférenciers au Québec.

J'avais une belle histoire, mais il fallait en faire une conférence « corpo ». Le directeur de l'agence m'a retourné à ma table de travail en me donnant trois mois pour livrer la marchandise. En rentrant à la maison, j'ai fouillé dans le dictionnaire pour trouver ce que « corpo » pouvait bien vouloir dire... Quand j'ai compris que corpo était un diminutif du mot corporatif, je n'étais pas plus avancé. Lorsque je suis retourné le voir trois mois plus tard, je n'avais changé que le contour du lettrage de mon Powerpoint... Malgré tout, il a accepté d'investir du temps en moi pour m'expliquer ce qu'était une conférence, comment faire des liens et ajuster mon message pour des dirigeants d'entreprise. Dans cette agence, j'ai eu la chance de rencontrer des gens extraordinaires dont Sonia, avec qui j'ai tissé un lien d'amitié que j'entretiens depuis. Bien que je ne fasse plus partie de cette agence, j'ai énormément de respect pour ce dirigeant d'entreprise et je suis reconnaissant de tout ce qu'il a fait pour moi.

Je pensais que ma vie professionnelle allait prendre un grand tournant : fini l'enseignement, j'allais devenir conférencier. J'ai très vite déchanté. Être conférencier n'est pas tout, encore faut-il être embauché. Personne ne m'engageait. Qui donc voulait entendre le témoignage d'un ex-gros ? Pour contourner le problème, j'ai donné toutes les conférences dont personne ne voulait parce que peu lucratives. Parfois, après avoir déduit mon déplacement et mes dépenses, je ne couvrais même pas mes frais !

À cette même période, j'avais une offre de la commission scolaire qui me proposait un poste. En entrevue, j'avais été d'une efficacité redoutable. J'aurais convaincu n'importe qui que j'étais le prof à embaucher. Dès mon entrée en fonction, j'ai fait connaissance avec ma nouvelle direc-

trice, Lucie Deschamps, une femme très dynamique. Elle m'avait demandé de prévoir un *workout* auquel les enfants du primaire allaient participer le matin. Tous les mois, je devais proposer de nouvelles routines en musique pour motiver les jeunes. Six ans plus tard, ces routines sont devenues l'une de mes sources de revenus. Encore aujourd'hui, je présente toujours ce type de *workout* en entreprise et en conférence, et c'est chaque fois un succès assuré.

• • • • • • • • • •

Il ne faut jamais sous-estimer les propositions qui nous sont faites. Même celles qui nous paraissent les plus anodines peuvent nous amener plus loin que prévu. La vie nous réserve souvent de belles surprises!

• • • • • • • • • •

J'ai travaillé pendant cinq ans pour la Commission scolaire de la Vallée-des-Tisserands et j'avais fait part à la directrice de mon désir de devenir conférencier. Pour concilier mes deux emplois, je devais pouvoir me libérer occasionnellement. Six jours de congé par année ne me semblaient pas suffisants. La direction de la commission scolaire m'avait donc autorisé à prendre 20 jours supplémentaires à mes frais. Je lui en suis encore très reconnaissant.

En parallèle, j'ai créé mon entreprise, Ékilibre, mise sur pied pour offrir une solution abordable à ceux qui voulaient adopter un mode de vie sain et actif. Pendant trois ans, j'ai proposé mes services d'aide en perte de poids. Je débarquais avec mon pèse-personne dans des endroits parfois discutables. En effet, je n'avais pas d'argent pour me payer de belles salles luxueuses, je louais donc celles qui étaient disponibles et abordables. Je me rappelle avoir loué une salle dans un bar à Salaberry-de-Valleyfield. Vous imaginez le scénario? Une entreprise santé dans un bar avec, en prime, une serveuse qui nous accueillait en lançant chaque fois: «Bon! Les régimes viennent d'arriver!». Avec Ékilibre, je donnais beaucoup plus que ce que le client demandait. Pour 6 dollars, je le pesais, scrutais son journal alimentaire, lui offrais un résumé des différents spéciaux offerts dans les épiceries et je donnais en prime une conférence au choix sur l'activité physique, la motivation ou l'alimentation. Certaines semaines, j'accusais un déficit de 30 dollars... Toutefois, Ékilibre m'a beaucoup apporté sur le plan personnel. Grâce à cette entreprise, j'ai développé la capacité de m'exprimer, ce qui me permet aujourd'hui de gagner ma vie en tant que conférencier professionnel.

Un jour, j'ai eu envie de m'associer à certaines entreprises qui m'avaient permis de devenir l'homme que j'étais. J'ai donc contacté Arc'teryx, une compagnie de vêtements de plein-air, et Polar, qui vend des cardiofréquencemètres et des montres qui permettent de calculer le nombre de battements cardiaques et/ou de calories dépensées. Par la suite, j'ai approché Salomon. J'appréciais ces entreprises au plus haut point. En 2008, personne ne connaissait Jimmy Sévigny, mais malgré tout, ces compagnies ont accepté de développer une collaboration avec moi. Je leur en suis très reconnaissant et encore aujourd'hui, je ne rate jamais une occasion de mentionner leur nom. Elles m'ont fait confiance, et je veux leur redonner au centuple ce qu'elles ont fait pour moi. Je crois à la loyauté. Il ne faut jamais oublier ce que les autres ont fait pour nous. Nous devons reconnaissance aux gens qui nous ont fait confiance.

Encore aujourd'hui, je suis prêt à donner de mon temps bénévolement ou à travailler à moindre coût quand j'ai le temps. L'argent n'est pas tout. Je fais confiance à la vie qui équilibre toujours les choses.

• • • • • • • • • • •

Pendant qu'on s'acharne à défoncer une porte, on ne voit pas
toutes celles qui sont ouvertes autour de nous.

• • • • • • • • • • •

En 2008, j'ai senti qu'il était temps de franchir une autre étape : je voulais faire connaître mon histoire. J'ai appelé des stations de télé et de radio pour leur offrir une entrevue. J'ai frappé à la porte du bulletin de nouvelles de TVA, j'ai sollicité la rédactrice en chef de *Tout le monde en parle*. À l'époque, Jean-Luc Mongrain animait *Pourquoi ?* sur le défunt réseau TQS. Un reporter de l'émission avait promis de parler de mon cas à M. Mongrain. J'ai rencontré son recherchiste. Pour qu'il comprenne vraiment d'où je partais, j'ai apporté un ancien pantalon, de même qu'une ceinture, que j'ai déballés sous son regard étonné. Il n'y avait rien à mon épreuve !

Par un hasard extraordinaire, j'ai croisé Jean-Luc Mongrain dans un couloir de la station. Reprenant mon discours et plongeant la main dans mon sac pour ressortir pantalon et ceinture, j'ai recommencé à raconter mon histoire au célèbre animateur abasourdi. M. Mongrain m'a regardé sans dire un mot et a poursuivi sa route. Puis, 10 mètres plus loin, il s'est tourné vers moi et m'a demandé : « Que faites-vous demain soir ? Vous êtes mon invité. » Le soir même, j'avais un message sur mon répondeur : c'était la rédactrice en chef de *TLMEP* qui se disait intéressée à me recevoir sur le plateau de l'émission. Lorsque je l'ai rappelée et que je lui ai mentionné que j'allais accorder une entrevue à M. Mongrain le soir même, elle a retiré son offre. Avec délicatesse, elle m'a fait comprendre ce qu'était la notion d'exclusivité dans ce métier.

En mon for intérieur, j'étais convaincu que j'allais un jour être invité à nouveau à *TLMEP*. J'ai demandé à la rédactrice en chef de l'émission la permission de communiquer de nouveau avec

elle. Elle a accepté. Entre 2008 et 2016, je lui ai envoyé des dizaines de courriels. Je l'informais de mes projets, que ce soit
un livre, un DVD ou ma participation à un Ironman©. Huit ans
plus tard, lorsqu'elle m'a appelé pour enfin m'inviter officiellement sur le plateau de *TLMEP*, elle m'a tutoyé en me disant que
depuis le temps, elle avait l'impression de me connaître...

C'est mon DVD Évolution ainsi que des capsules pour les
jeunes diffusées sur Tou.tv (ICI Radio-Canada) qui ont été ma
porte d'entrée à *TLMEP*. Je tournais des capsules pour Toast
Studio – une boîte de production, entre autres choses –, en
échange d'un cachet web inférieur aux cachets en télé, mais
encore une fois, la vie m'a prouvé que rien n'est inutile et qu'un
cachet n'est rien comparé aux rencontres que l'on peut faire.
Chez Toast Studio, j'ai rencontré des gens formidables qui ont
des projets à n'en plus finir ! Bref, c'est cette collaboration ainsi
que la popularité d'Évolution qui m'ont permis d'être invité
à la célèbre émission. Il ne faut jamais sous-estimer les actions
qu'on pose et ne prendre que l'argent en compte. Lors de la ré-
trospective des meilleurs moments de l'année de *TLMEP*, on
a choisi de rediffuser mon entrevue. Ça m'a beaucoup touché.

À posteriori, je comprends que les choses arrivent toujours au
bon moment. En 2007, je n'étais pas prêt pour *TLMEP*. Si j'y
étais allé il y a trois ou quatre ans, ça m'aurait probablement
monté à la tête, car mon amour-propre n'était vraiment pas au
même stade qu'aujourd'hui. En 2016, j'étais prêt. Ça été une
belle expérience qui m'a aidé à me faire connaître un peu plus
et qui m'a permis d'aider davantage de gens à changer leur
vie. Pour tous ceux et celles qui me posent la question à savoir
si j'étais nerveux pendant le tournage : oui je l'étais ! Toutefois, lorsque j'ai vu que tous les invités présents, en particulier
Michel Barrette et Mario Tessier, s'intéressaient sincèrement à

mon histoire, je me suis dis : « OK, Jimmy ! Reste toi-même et parle avec ton cœur » et le stress s'est estompé d'un seul coup.

En 2008, après une première incursion dans les médias, j'ai eu l'idée de proposer ma collaboration à quelqu'un qui était déjà connu et reconnu dans le domaine du mieux-être : Chantal Lacroix. C'est Manon Thivierge, un membre de son équipe, qui a été mon lien et je lui en suis encore reconnaissant. Comme Chantal avait ouvert le site www.sosbeauté.ca, j'ai proposé d'en être le modérateur et de rédiger un texte par semaine. Deux semaines plus tard, la nouvelle était rendue publique : TQS devait 800 000 $ à Chantal Lacroix. Le *timing* était parfait pour entrer dans sa vie ! J'ai continué à écrire des textes qui étaient publiés sur le site et à répondre aux questions des lecteurs. J'appelais Manon pratiquement tous les jours. Chaque fois, elle me confirmait qu'elle avait parlé de moi à Chantal.

Enfin, j'ai eu l'occasion de la rencontrer. Pour faire bonne impression, j'avais mis un complet, un veston et une chemise pressée, sans oublier du gel dans mes cheveux. Je me suis présenté comme une remorqueuse : disponible 24 heures par jour, 7 jours par semaine. Je voulais tellement travailler avec elle que je l'aurais suivie en Irak ! Chantal m'a donné ma première chance en m'embauchant pour l'émission *SOS santé en famille* à Canal Vie. Je capotais ! Je faisais enfin mes premières armes à la télé. Je n'y connaissais rien. Comme j'avais tourné plusieurs heures, j'étais convaincu que mon topo allait prendre beaucoup de place au sein de l'émission. Lors de la diffusion, il durait à peine trois minutes. C'est ce jour-là que j'ai compris un peu mieux le fonctionnement de la télé…

Le 23 juin 2008, j'étais en classe avec mes élèves. C'était la dernière journée d'école. Mon portable a sonné. Chantal avait besoin de moi pour une émission qui allait être tournée sur ce qui était considéré comme le deuxième plus gros bateau de croisière au monde. Le voyage était prévu en novembre, en pleine année scolaire. Je suis allé voir ma directrice pour lui demander une semaine de congé afin de participer à ce projet. Super compréhensive, elle m'a invité à saisir cette opportunité et m'a accordé sur le champ le congé dont j'avais besoin. En échange de cette croisière, Chantal me demandait de donner une conférence. Une seule. J'avais la chance de passer une semaine sur un bateau avec Chantal et de me faire remarquer, je n'allais quand même pas me limiter à une conférence ! J'ai décidé de lui en mettre plein la vue : conférences, *workout*, club de marche. J'ai pris les choses en main. Pendant cette semaine, Chantal et moi avons tissé un bon lien.

Inspiré par le proverbe qui dit que celui qui donne reçoit, j'ai appelé Canal Vie pour offrir d'écrire des textes pour le site web de la station. Pendant trois ans, j'ai rédigé plusieurs articles sur différents thèmes, sans jamais rien demander en retour. Un jour, contre toute attente, on m'a annoncé qu'on avait débloqué un budget pour moi. J'étais fou de joie ! Quand on m'a annoncé qu'il n'y avait plus de budget, j'ai continué quand même ! J'écrivais, payé ou non.

En 2011, j'étais de plus en plus en demande à titre de conférencier et ce qui devait arriver arriva. La direction de la commission scolaire pour laquelle je travaillais me convoqua dans ses bureaux. J'avais manqué 36 jours d'école, sans compter les journées de maladie qu'on m'accordait. J'étais prof au primaire et j'adorais mes enfants qui me le rendaient bien, mais je m'absentais de plus en plus. La veille de mes cours d'éducation physique, les jeunes m'envoyaient des messages sur Facebook pour savoir si j'allais donner le cours ou me faire remplacer…

J'en ai discuté avec Chantal. Oui, elle était intéressée à travailler avec moi. Non, elle ne savait pas encore quelle pouvait être notre collaboration, mais elle souhaitait qu'elle prenne forme. Elle m'a embauché à temps plein et m'a installé dans ses bureaux, sans même que nous ne sachions l'un et l'autre quelle était ma tâche. Cette femme a cru en moi. Les premiers mois, je dois l'avouer, je n'étais ni plus ni moins qu'un boulet sur son «payroll». Les week-ends et les Camps *SOS Santé Beauté* n'existaient pas encore pour justifier mon salaire, je faisais tout et n'importe quoi : j'allais faire les courses, je déposais les chèques à la banque, j'écrivais des textes, etc. J'étais déterminé à me rendre utile. Ç'a été mes débuts chez Productions Kenya.

Avec le recul, je me demande encore comment Chantal a fait pour m'endurer. Je suis de nature insécure, je m'en fais souvent pour des riens. En réunion, je passais mon temps à la questionner : «Est-ce correct? Es-tu contente de moi? Es-tu satisfaite de mon travail?» Un jour, lasse de mon attitude et avant même que je termine ma rengaine, elle s'est impatientée : «Jimmy, là, je suis tannée! Le jour où ça ne sera pas correct, je vais te le dire.» Ç'a été réglé.

Aujourd'hui, j'ai moins tendance à me sentir rejeté. Tout au long de ma perte de poids, les gens me reprochaient d'être beaucoup trop réactif. Pour un rien, je montais aux barricades. C'est ce que j'ai appelé par la suite le «syndrome du gros». Remarquez les personnes obèses, elles sont souvent susceptibles, sur leurs gardes, et leur besoin de se justifier est fort. Je les comprends : elles sont tellement habituées de se faire juger, à être pointées du doigt et accusées sans raison qu'elles deviennent très réactives aux commentaires des autres. J'ai moi aussi vécu cette situation, je sais de quoi je parle.

Au début de ma collaboration avec Chantal Lacroix, lorsque des membres de son équipe me faisaient un commentaire, j'étais sur la défensive et je me fâchais rapidement. Il a fallu qu'on m'explique qu'on voulait simplement m'aider. Par exemple, on n'avait qu'à me dire que mon chandail ne convenait pas pour un tournage que je soupçonnais les membres de l'équipe de me trouver gros... J'ai fini par comprendre que les commentaires qu'on me faisait étaient constructifs : ils visaient à m'avantager à l'écran, rien de plus.

Chantal, qui a vite saisi mon insécurité, me taquine encore au sujet de ce trait de personnalité. J'ai accepté que cette insécurité fasse partie de moi. Par contre, aujourd'hui, je suis capable de ressentir ce sentiment monter en moi et je peux facilement l'identifier. Lorsque cela se produit, je dédramatise en me posant des questions : « Est-ce que tu viens d'apprendre que tu vas mourir ? » ou « Est-ce que c'est si dramatique que ça ? » Sinon, je pense à des gens qui en arrachent beaucoup plus que moi dans la vie et ça me remet rapidement les pieds sur terre.

• • • • • • • • • •

Je crois que l'insécurité se manifeste de différentes manières chez chacun d'entre nous. Elle fait partie de notre nature humaine. Voyons le bon côté des choses : sans cette insécurité qui l'habite, l'Homme n'aurait jamais cherché à améliorer son sort et vivrait encore dans une grotte !

• • • • • • • • • •

Encore aujourd'hui, lorsque des changements s'annoncent dans ma vie, je sens ressurgir mon insécurité. Mais maintenant, je la nomme, je la reçois, je l'assimile, je la traite et je la dépasse. Je crois qu'il faut simplement l'accepter pour que l'émotion puisse s'estomper d'elle-même.

En compagnie de Chantal, nous avons voulu ouvrir des franchises *Méthode SOS Santé*, mais ça n'a pas fonctionné. Impossible de déléguer, les gens voulaient que je donne toutes les formations. Chantal a décidé de lancer les camps *SOS Santé Beauté* et les week-ends du même nom à Montréal. Le premier camp que nous avons proposé en République dominicaine s'est rempli en deux jours. Même chose avec le week-end. Ce beau succès, je le vivais avec Chantal. Moi, Jimmy Sévigny, je travaillais avec Chantal Lacroix! Elle a horreur de me l'entendre dire, mais au début, j'étais un vrai fan! J'aurais fait n'importe quoi pour elle!

Lors du premier camp, j'avais tellement besoin d'être valorisé par Chantal et de sentir que j'étais indispensable que j'ai encore tout fait pour attirer son attention. Durant la semaine, j'ai donné trois conférences, j'ai offert trois heures de *workout* par jour, je m'occupais de l'aspect technique lors des autres conférences et je terminais mes soirées en jouant les DJ dans le bar! Tout ça pour qu'elle me trouve bon et fin. Avec un peu de recul, je sais qu'on ne peut tout faire et exceller en tout. J'aimais m'impliquer partout, mais j'ai appris depuis à reconnaître mes forces et mes faiblesses. Je me concentre maintenant sur ce que les gens attendent de moi : les entraîner et leur offrir des conférences. Et vous savez quoi? Je suis en meilleure forme et par le fait même, plus disponible pour eux.

La formule, on le sait, a bien fonctionné. Les choses allaient bon train, nous proposions deux camps par année. Transporté par la demande du public, j'ai proposé à Chantal d'organiser un *boot-camp*. Le concept était simple : jusqu'à 4 heures d'entraînement par jour pour tous les niveaux de forme physique! Nous nous étions donné de deux à trois mois pour trouver une trentaine de participants. En deux jours, toutes les places étaient réservées.

Je suis parti avec mon premier groupe et un ami physiothérapeute, Éric Boucher. Il devait m'aider à gérer les 33 personnes. Le

matin, j'invitais les participants à courir et/ou marcher pendant 1 heure et demie en compagnie d'Éric et moi. J'enchaînais avec une conférence de 10 h à midi. Durant l'après-midi, je donnais quatre cours de spinning en rafale. De 17 h à 18 h, j'offrais soit un cours d'aquaforme, d'aérobie ou d'entraînement fonctionnel. Le soir, je faisais la fête avec les participants au Coco Bongo. Vous me croirez sûrement si je vous dis qu'à la fin du camp, j'étais sur les rotules. J'ai mis deux semaines à m'en remettre! Pour vous donner une idée, j'ai maintenant plus de quatre entraîneurs qui me suivent lors de ces semaines de camp.

• • • • • • • • • • •

Aujourd'hui, je n'ai plus besoin d'obtenir à tout prix la reconnaissance de mes pairs. Je connais mieux ma valeur. Ma soif d'amour et ma quête d'approbation ne sont jamais bien loin, mais je me soigne.

• • • • • • • • • • •

En 2014, en quête d'un entraîneur pour m'aider lors des *bootcamps*, j'ai publié un message sur Facebook. Ceux qui postulaient devaient impérativement être éducateur physique ou kinésiologue. La cousine de Joanie, qui est aujourd'hui ma conjointe, a vu passer cette annonce et lui a relayé l'information. Malgré son titre d'ergothérapeute et sa maîtrise en réadaptation physique, Joanie était consciente qu'elle ne répondait pas tout à fait à mes attentes.

En août, j'ai passé une dizaine d'entrevues pour trouver la personne ressource pour le camp qui devait se tenir en avril. Joanie faisait partie des candidats. Je l'ai vue arriver dans mon bureau. Du haut de ses 5 pi et 1 po, ses 108 livres et son «baby face», elle débordait manifestement d'énergie. Je lui ai donné 5 minutes pour monter un plan d'entraînement pour l'une de mes clientes, Marie-Hélène. Elle m'a démontré hors de tout doute son haut niveau de compétence. Nous en sommes restés là.

Les semaines passaient, je n'avais toujours pas pris de décision quant à la personne qui allait travailler avec moi lors des camps. Joanie me talonnait et me relançait constamment. Elle voulait l'emploi à tout prix. En octobre, lorsque je lui ai annoncé qu'elle avait été choisie et qu'elle allait travailler pendant deux semaines dans le Sud avec moi, sa réaction m'a confirmé que j'avais fait le bon choix.

En novembre suivant, je suis allé donner une conférence en Abitibi. Comme la mère de Joanie habite Val-d'Or, elle s'est présentée à moi en m'expliquant qu'elle était la mère d'une de mes futures employées. Sincèrement, j'étais un peu confus: j'avais vu sa fille une seule fois dans ma vie... Le soir même, forte d'un pressentiment, elle a appelé sa fille pour lui dire qu'elle avait eu un drôle de *feeling* en me voyant. Elle avait eu l'impression, disait-elle, que j'allais un jour devenir son gendre. Joanie, qui était en relation depuis quatre ans avec le même homme, avait été scandalisée que sa mère lui tienne pareils propos.

La mère de Joanie avait vu juste. Pendant le *bootcamp*, le fameux déclic a effectivement eu lieu. Je me suis rendu compte que je n'étais plus heureux dans ma vie de couple. J'avais passé 10 ans en relation avec une fille formidable, mais nous n'étions plus à la même place. Elle m'avait connu à l'université. À l'époque, j'étais déterminé à devenir professeur, à avoir un jour des enfants, une maison, un chien. Finalement, ma vie avait bifurqué. Mon travail avait pris tellement de place que je ne m'étais pas suffisamment investi dans mon couple. Nous étions devenus des colocs.

Entre nous, tout était calculé, mesuré, conflictuel. Je suis conscient d'avoir une grande part de responsabilité dans l'échec de ce couple et je l'assume. La rupture a eu du bon: elle m'a permis de toucher au grand amour.

Au mois de juin suivant, j'étais en couple avec Joanie. Je l'avais initialement embauchée pour un camp, je n'ai jamais été capable de la congédier par la suite... Depuis que nous sommes ensemble, elle a beaucoup fait pour moi et elle m'a permis de changer ma vie à bien des égards.

À posteriori, je me rends compte que je me suis donné le droit de rêver et qu'en y ajoutant le travail et la persévérance nécessaires, deux ingrédients essentiels au succès, j'ai atteint plusieurs de mes objectifs. Si à l'époque où j'étais obèse, on m'avait prédit que je travaillerais un jour à encourager les gens à prendre leur vie en main, je ne l'aurais pas cru, les autres non plus. Mais un jour, j'ai commencé à rêver éveillé, et je n'ai jamais cessé depuis. Je vous encourage à élaborer vos objectifs et surtout, à croire que vous pouvez vous aussi atteindre les vôtres.

À MÉDITER

Il importe de croire en ses rêves. Avez-vous une «bucket list»? Avez-vous identifié clairement les objectifs que vous souhaitez réaliser? Si ce n'est pas déjà fait, faites-le! Dressez votre liste avec des objectifs à court, à moyen et à long terme et passez à l'action dès maintenant! Comme le disait si bien Steve Jobs: «Construisez vos propres rêves, ou quelqu'un d'autre va vous embaucher pour construire les siens.»

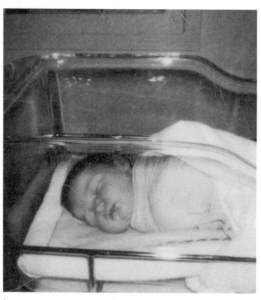

À ma naissance. Comme tous les autres bébés en santé, je naissais égal à eux. J'étais prêt à commencer ma vie !

Environ 2 ans. Comme vous pouvez le voir, j'avais déjà un intérêt pour le sport ;)

Moi en compagnie de mon voisin qui était plus jeune de 10 mois. Comme vous pouvez le constater, lentement mais sûrement, ma silhouette changeait.

PHOTOS: COLLECTION PERSONNELLE

3e année : déjà un des plus obèses de l'école.

LA fameuse fois où mon père m'a amené au Village des sports.

PHOTOS : COLLECTION PERSONNELLE

11 ans : 250 lb

Début du secondaire : mon estime de soi et ma confiance en moi en prenaient déjà un méchant coup.

Lorsque j'étais dans l'équipe de football les 21 de La Baie. Le chandail que je porte est en fait deux chandails cousus ensemble.

PHOTOS : COLLECTION PERSONNELLE

Lors de mon adolescence, ma passion pour les jeux de rôles médiévaux était à son comble.

Après un concours de poutines. Nul besoin de vous dire que j'avais gagné! Regardez mes yeux: ils sont vides. Je me dirigeais droit dans un mur.

En compagnie des membres de mon groupe de musique, *On Strike*. À ce moment-là, même si mon fond était bon, je crois sincèrement que j'étais devenu une mauvaise personne.

En compagnie de ce même groupe de musique qui est devenu un *band* de *Death Metal*: Réminiscence. Je m'enfonçais de plus en plus. Dernier show avant que mon cœur ne lâche.

PHOTOS: COLLECTION PERSONNELLE

99

PHOTO: COLLECTION PERSONNELLE

Lorsque j'étais étudiant à l'université. Quelle fierté pour moi !

En 2008, j'ai finalement eu ma chance avec Chantal. J'ai eu l'opportunité d'apprendre à ses côtés pendant plusieurs années.

Départ de Ironman® à Mont-Tremblant. Les émotions dans le tapis, je m'élance !

PHOTO: ISABELLE LAMY

PHOTO : COLLECTION PERSONNELLE

Arrivé de mon deuxième Ironman©! J'étais beaucoup mieux préparé et comme vous pouvez le voir, j'avais encore de l'énergie!

PHOTO : ISABELLE LAMY

Lorsque j'ai demandé Joanie en fiançailles. Moment gravé à jamais dans ma mémoire.

PHOTO : ISABELLE LAMY

En compagnie de Joanie, Geneviève et Sarah, des personnes de cœur. Nous nous aidons mutuellement dans nos vies et on sait que l'on peut compter les uns sur les autres. C'est ça l'amitié.

En compagnie de mon père, Jean-Pierre. Bien que nous n'ayons pas été toujours sur la même longueur d'ondes, je peux vous garantir qu'aujourd'hui, je savoure chaque moment passé en sa compagnie. Nous sommes maintenant plus près l'un de l'autre que jamais.

En compagnie de mon fidèle compagnon, Clovis ! J'ai besoin d'avoir cette présence animale dans ma vie, cela m'aide énormément. Les animaux sont sans jugement et nous aiment d'un amour inconditionnel !

PHOTOS : COLLECTION PERSONNELLE

PHOTO : COLLECTION PERSONNELLE

En compagnie de Pascale, mon amie, ma deuxième mère.

PHOTO : TOUT LE MONDE EN PARLE

Lors de mon passage à l'émission *Tout le monde en parle*. Après 8 ans, je réalisais mon rêve ! :)

DEUXIÈME PARTIE :
ÊTRE SUR SON X DANS TOUS LES DOMAINES DE SA VIE

CHAPITRE 1 :
QU'ATTENDEZ-VOUS POUR PASSER À L'ACTION ?

◇◇◇◇◇◇◇◇◇◇◇◇◇◇

« Fais du bien à ton corps pour

que ton esprit ait envie d'y rester. »

— Proverbe amérindien

◇◇◇◇◇◇◇◇◇◇◇◇◇◇

La vie est fragile, et bien plus qu'on peut l'imaginer. Qui peut dire le temps qu'il lui reste ici-bas ? Dans l'espoir de vivre le plus longtemps possible et dans les meilleures conditions, il faut prendre soin de soi. Pourtant, pour plusieurs, manger sainement et être actif sont deux éléments souvent reportés à l'agenda. Ils se disent : lundi prochain, le prochain 1er du mois, après les fêtes, après le party, après le souper d'amis, etc. L'échéance est sans cesse reculée. Et vous, qu'attendez-vous pour changer ?

On peut trouver bien des excuses pour ne pas prendre soin de sa tête et de son corps. On peut aussi développer le culte du corps sans prendre soin de sa santé mentale. Mais dites-moi : qu'est-ce que ça donne d'avoir une belle enveloppe si, en dedans, on se sent complètement vide ?

Ça me rappelle un message Facebook que j'ai reçu d'une certaine Linda. Je vous le livre ici.

« Bonsoir Jimmy. Bravo pour ce que tu accomplis. Je t'ai entendu à *Tout le monde en parle*. Tu as fait de l'hypertension. Aujourd'hui es-tu guéri ? Moi, j'ai pris une bonne soixantaine de livres et je fais de l'hypertension artérielle et j'ai des problèmes pulmonaires. Je suis toujours essoufflée et j'ai mal partout. Je ne bouge plus, sauf pour l'essentiel. J'espère guérir et redevenir belle et en santé, surtout pour être capable de suivre mes petits-fils. Bravo, lâche pas ! »

J'ai répondu ceci à Linda deux jours plus tard :

« Bonjour Linda, merci de m'avoir écrit. Mis à part des douleurs aux genoux, tout a disparu. Bon succès ! :) »

48 heures plus tard, j'ai reçu une réponse de sa fille :

« Bonjour Jimmy, je suis la fille de Linda. Ma maman est décédée jeudi après-midi d'un arrêt cardiaque. Merci d'avoir pris le temps de répondre à maman, elle aurait été vraiment contente. »

Quand je songe à cet échange, je suis encore touché. Encore une fois, la vie prouve hors de tout doute combien elle est fragile. En moins d'une semaine, une femme qui souhaitait retrouver la forme est décédée. Elle était convaincue qu'elle avait du temps devant elle pour se reprendre en main. Malheureusement, ce ne fût pas le cas.

• • • • • • • • • • •

Qu'attendez-vous pour passer à l'action ? Vous vous dites peut-être que vous allez vous reprendre en main lundi, mais chaque jour devrait être un lundi dans votre vie. Selon moi, il y a 7 lundis par semaine. Chaque jour est le moment idéal pour prendre soin de vous. C'est maintenant qu'il faut agir !

• • • • • • • • • • •

N'attendez pas d'avoir un cancer, d'être malade ou d'être acculé au pied du mur pour vous reprendre en main. Faites-le maintenant !

La phrase qui me fait toujours sursauter est la suivante : « De toute manière, nous allons tous mourir un jour ou l'autre ! » Comme si ça justifiait qu'on se laisse aller entre-temps. Pensez-y un instant : vous pouvez ajouter des années à votre vie, mais vous pouvez aussi ajouter de la vie à vos années. Mourir sur 15 longues années de souffrances en vaut-il la peine ? C'est bien beau de vivre de plus en plus vieux, mais si c'est pour être de plus en plus malade, le jeu n'en vaut pas la chandelle. Votre corps est une belle machine, mais vous devez l'entretenir. Bien entendu, vous pouvez vous permettre quelques excès de temps à autre, mais si vous désirez que votre corps et votre esprit soient au top, vous devez les nourrir avec les meilleurs aliments. Comparez votre corps à votre automobile. Si vous prenez toujours les produits bon marché et que vous ne faites pas l'entretien régulier sur celle-ci, sa durée de vie en sera grandement affectée.

Le message sur l'importance d'une saine alimentation semble de mieux en mieux compris par la population en général. Par exemple, au niveau national, les chiffres sur l'obésité sont légèrement à la baisse depuis quelques années. C'est encourageant ! Mais chez certains, le message ne passe pas : ils n'arrivent pas à comprendre que leur style de vie a une influence directe sur leur qualité de vie.

Dʳ Richard Béliveau, le célèbre biochimiste et chercheur québécois, a établi que 30 % des cancers sont dus à la génétique et à la pollution, mais que 70 % pourraient être évités avec un mode de vie sain et actif. C'est donc dire qu'avec une bonne alimentation et de l'activité physique, une grande majorité de cancers ne surviendraient pas !

Si vous êtes du genre à penser que vous ne vous entraînez pas par manque de temps, sachez qu'une heure d'entraînement correspond à 4 % d'une journée de 24 heures. Regarder la télévision pendant une heure est généralement bien perçu, tandis que s'entraîner une heure par jour peut être considéré excessif. Comment comptez-vous employer cette heure quotidienne ?

Sachez aussi qu'il vous suffit d'aussi peu que 8 minutes d'activité physique pour vous sentir bien. Après cette période de temps, votre corps commence à sécréter des hormones qui procurent une sensation de bien-être et votre non-motivation à l'entraînement disparaît souvent comme par magie. Un petit conseil : lorsque vous vous entraînez, si vous avez le goût d'abandonner, pensez à la manière dont vous allez vous sentir après. Vous savez, cette sensation de légèreté, ce sentiment que les problèmes semblent tellement plus faciles à régler ? En clair, persévérez !

Vous connaissez mon histoire, vous venez de la lire. Si j'ai pu réussir, vous aussi vous le pouvez.

MON CONSEIL

Des gens me disent parfois qu'ils aimeraient être comme moi, c'est-à-dire avoir le « gène » de la saine alimentation et de l'activité physique. Ce gène n'existe pas ! Je me le suis greffé ! Comme tout le monde, je fais des écarts sur le plan alimentaire. Comme tout le monde, je suis parfois étalé sur mon divan à regarder la télé sans aucune envie de faire du sport ou d'aller m'entraîner. Mais j'ai signé un contrat avec moi-même. Vous voulez mon truc ? Le voici : lorsque je me consacre à une activité physique et que la motivation n'est pas au rendez-vous, je n'ai pas le droit de m'arrêter avant 20 minutes. Si, après 20 minutes, je ne suis toujours pas motivé, je peux tout arrêter et rentrer à la maison. Je suis donc obligé de m'entraîner pendant ce laps de temps, que j'en aie envie ou non. Comme vous vous en doutez, après cette période, je choisis toujours de continuer ! À ceux qui en ont assez de toujours recommencer, je dis : « Arrêtez d'abandonner ! Prenez des pauses, mais n'abandonnez jamais. » Trouvez votre motivation profonde laquelle vous donnera le désir de poursuivre encore et encore. Et dans les moments difficiles, rappelez-vous cette raison pour rester motivé.

CHAPITRE 2 :
GARDER L'ESPRIT OUVERT

◇◇◇◇◇◇◇◇◇◇◇◇◇◇◇

« Si on ne trouve pas le temps de prendre soin
de sa santé, on va devoir un jour ou l'autre trouver
le temps d'être malade. » – Edward Stanley

◇◇◇◇◇◇◇◇◇◇◇◇◇◇◇

J'ai appris avec les années que dans le domaine de l'alimentation, rien n'est ni noir ni blanc. Je me considère comme une personne parfois extrémiste, mais je nuance beaucoup plus qu'avant. À une époque, je tenais un discours universitaire. En dehors des nutritionnistes, des kinésiologues et autre professionnels de la santé, il n'y avait pratiquement que des charlatans et des shamans qui avaient trouvé leur diplôme dans une boîte de Corn Flakes !

Il y a deux ans, j'ai écrit un texte dans lequel je me prononçais contre les suppléments pour la population en général. Dans ce papier, j'ai affirmé que pour monsieur ou madame

Tout-le-monde, il était bien suffisant de consommer du yogourt grec pour récupérer après l'entraînement et que c'était pratiquement aussi efficace que les protéines en poudre. J'ai reçu une foule de messages de gens en accord avec moi. Toutefois, j'ai également reçu des dizaines de messages de naturopathes et entraîneurs qui me suggéraient de m'informer un peu mieux sur la question. Avec le recul, je dois admettre que ces gens m'ont incité à ouvrir mes horizons. Par le fait même, j'ai découvert d'autres manières de faire et ces enseignements m'ont beaucoup enrichi. Bien entendu, je demeure extrêmement critique quant aux informations véhiculées car plusieurs personnes avancent des choses par simple conviction sans égard pour la science, mais cette nouvelle ouverture m'a amené à lire plusieurs livres inspirants.

J'ai lu notamment *L'alimentation ou la troisième médecine* de Jean Seignalet, un livre dans lequel j'ai appris beaucoup, notamment que la nourriture cuite à plus de 100 °C développe des substances hautement cancérigènes (qui favorise l'apparition de certains types de cancer) dont l'acrylamide. On peut manger ces aliments occasionnellement, mais non sur une base régulière. Pourquoi ne pas plutôt cuire les aliments à basse température ? Si l'intention vous prenait de lire ce bouquin, je préfère vous mettre en garde tout de suite, il est très volumineux et parfois difficile à comprendre.

Les livres *Toxic* et *Toxic Food : Enquête sur les secrets de la nouvelle malbouffe* de William Reymond ont aussi changé ma manière de voir les choses. Si le sujet vous intéresse, je vous les recommande.

Même chose du côté de l'entraînement. Une personne qui m'a aidé sur ce plan est Marc Carangi, propriétaire du gym Centre de Performance Apex, à Laprairie. Ces dernières années, certaines des meilleures formations et informations qui m'ont été données sur l'alimentation et l'entraînement ne sont pas nécessairement venues de gens qui avaient une formation universitaire, mais de gens ayant été formés par de grands spécialistes dont des médecins et des chercheurs. Bien entendu, il n'est aucunement question de dénigrer les enseignements qui se donnent sur les bancs d'école. Au contraire ! Je suis issu du milieu universitaire et j'en suis très fier ! Les professeurs et chargés de cours qui m'ont enseigné étaient des personnes très compétentes. J'avance simplement que si j'avais gardé les yeux fermés sur toutes ces formations qui se donnent en parallèle, j'aurais beaucoup moins de connaissances aujourd'hui. J'ai découvert des gens compétents dans différents domaines. Encore une fois, il faut garder l'esprit ouvert, tout en conservant un regard critique. Bref, lorsque vous entendez quelque chose qui vous semble bizarre ou incohérent sur un sujet de santé, prenez le temps d'aller au fond des choses et de demander l'avis de gens compétents.

On entend souvent dire qu'il faut manger trois repas par jour et que les collations sont essentielles. Je crois qu'il faut encore nuancer. Ne vous fiez pas essentiellement aux discours, fiez-vous également à ce que vous ressentez. Personnellement, je suis incapable de manger une collation, car pour moi, c'est ouvrir la porte à un repas supplémentaire. Je m'en tiens donc à trois repas par jour et je mange légèrement avant de me coucher.

Même chose avec les desserts. Certains se sentent plus à l'aise s'ils s'en passent totalement, d'autres préféreront en prendre une ou deux bouchées de temps à autre. Pour ma part, j'ai de la difficulté à ne manger qu'une seule bouchée de gâteau, mais ma conjointe y parvient très bien.

Certains prétendent qu'il faut absolument manger en se levant. Moi, j'attends d'avoir faim. Des fois, ça prend 60 minutes, parfois même deux heures. Je mange rarement au saut du lit. Je commence ma journée par un café auquel j'ajoute de la cannelle – elle m'aide à contrôler ma glycémie et diminue mon attirance pour les aliments sucrés – ou du cacao. Puis, la plupart du temps, je consomme une omelette composée de 4 blancs et de 2 jaunes d'œufs ainsi que de 2 tasses de légumes sautés. Sinon, je mange 1 tasse de yogourt grec avec 1 tasse de petits fruits des champs. J'ajoute des graines de lin broyées et des graines de chia. C'est délicieux !

Beaucoup de gens qui assistent à mes conférences s'étonnent du fait que les informations sur l'entraînement et l'alimentation changent constamment, ce à quoi je réponds : « Heureusement ! » Dois-je rappeler qu'il n'y a pas si longtemps, on avait le droit de fumer dans les hôpitaux car la fumée secondaire n'était pas considérée comme nuisible à la santé ? Au cours des prochaines années, d'importantes percées seront faites dans le domaine des saines habitudes de vie, donc il vaut mieux garder l'esprit ouvert. Lorsque je change mon discours sur un sujet qui touche l'alimentation ou l'entraînement, j'en suis heureux car cela démontre que j'ai acquis de nouvelles connaissances et/ou que la science a progressé !

MES CONSEILS :

Sur le plan de l'alimentation, je ne crois pas qu'il existe un modèle unique qui s'applique à tous. Je me méfie des discours qui exigent le bannissement de ceci ou cela. La réalité, c'est que chaque individu est unique et que chacun doit trouver sa voie. Pour atteindre son équilibre, il faut pouvoir s'écouter. On me demande souvent ce que je pense de tel régime ou de telle diète. Je ne prononcerai le nom d'aucune compagnie, mais voici des règles simples qui vous permettront de savoir si une méthode est bonne ou non selon moi.

1. Si le titre inclut le mot régime ou diète, n'allez pas de l'avant. Avant même de commencer, vous savez que vous ne pourrez pas tenir le coup toute votre vie. Aimeriez-vous dire à vos proches que vous êtes à la diète ou au régime pour le reste de vos jours? Vous devez trouver un concept qui vous aide à changer vos habitudes de vie et non un régime qui vous condamne aux restrictions pour le reste de votre existence. De mon côté, il m'arrive d'être au régime. Oui, oui! Lorsque je dois diminuer mon poids corporel pour des épreuves d'endurance tel un Ironman[©]. Que croyez-vous qu'il se produit après? Je reprends mon poids d'avant, car les effets d'un régime ne durent pas!

2. Si on vous oblige à ingérer des pilules, des protéines en poudre ou encore des *shakes*, méfiez-vous. Encore une fois, il n'est pas question d'être contre l'utilisation de suppléments car cela peut être justifié dans certains cas. Toutefois, si cela devient un essentiel, c'est souvent que la personne qui vous «conseille» cherche avant tout à faire du profit avec vous.

3. Si on vous propose une solution, mais qu'en échange vous devez aider cette personne à agrandir son commerce ou «son cercle de réseautage d'affaires», vous passez selon moi à côté de votre objectif. À moins, bien entendu, que votre but premier soit de vous partir en affaires...

4. Si la personne qui vous conseille n'a aucune compétence en la matière ou n'a pas de formation reconnue, essayez de valider avec d'autres intervenants pour obtenir une deuxième opinion.

CHAPITRE 3

L'ALIMENTATION

○○○○○○○○○○○○○○○○○

« Bougez chaque fois que vous en avez l'occasion, mangez le moins de produits transformés possible et optez pour des aliments fonctionnels. » — Jimmy Sévigny

○○○○○○○○○○○○○○○○○

À ceux qui souhaitent améliorer leur santé et ressentir une plus grande vitalité, mon conseil le plus précieux tient en une phrase : bougez chaque fois que vous en avez l'occasion, mangez le moins de produits transformés possible et optez pour des aliments fonctionnels.

Les aliments transformés sont ceux qui ne proviennent pas directement de la nature. Ils sont passés par une usine où ils ont été manipulés et modifiés. On leur a aussi ajouté des agents de conservation. En lisant ces lignes, certains d'entre vous s'objecteront : « Oui, mais pratiquement tout ce qu'on achète a été transformé ! » et vous avez raison. Mis à part les fruits et les légumes frais, presque tous les articles que vous retrouvez en épicerie ont subi une transformation. Bien entendu, certains produits transformés sont bons pour votre santé, mais de façon générale, ce n'est pas le cas! Il importe de lire la liste des ingrédients. Elle doit être courte, contenir le moins d'ingrédients ajoutés possible et vous devez comprendre le nom de la plupart des ingrédients qui y figurent.

On me demande souvent mon opinion sur les repas préparés. La voici. Si votre repas est frais, qu'il a été cuisiné avec des aliments dont vous connaissez la provenance et sans une foule d'agents de conservations, allez-y! Toutefois, je ne recommande pas les petits plats surgelés en promotion à 1 ou 2 $ (vous savez de quoi je parle). En plus d'avoir une faible valeur nutritive, leur contenu et leur goût sont parfois douteux. N'ayez pas peur de mettre 5, 6 voire même 7 $ pour vous acheter un repas de qualité.

Tous les aliments amènent des calories, mais sont-elles fonctionnelles ou non? Le principe est simple : une calorie provenant d'une fraise équivaut-elle à celle d'une croustille? Sur un plan purement énergétique, oui. Mais a-t-elle la même valeur? Non. Il faut se questionner : que contient l'aliment? Des protéines, des glucides, des lipides, des vitamines, des minéraux? On comprend donc que la fraise a une valeur supérieure à la croustille qui contient ce qu'on appelle communément des calories vides. Une calorie vide provient d'un aliment qui procure de l'énergie (des calories), mais sans aucune valeur nutritionnelle.

• • • • • • • • • • •

Si vous choisissez de manger des aliments qui vous apportent de l'énergie et une foule de nutriments, ils contribueront à optimiser votre santé.

• • • • • • • • • •

Pour assainir votre alimentation, voici mes recommandations de base.

1. Prenez conscience de ce que vous mangez. Si la liste d'ingrédients contient un nombre impressionnant d'ingrédients et que la plupart d'entre eux sont incompréhensibles, le produit que vous tenez entre vos mains provient bien plus d'un laboratoire chimique que de la nature... À partir du troisième ingrédient inconnu, demandez-vous si vous en avez vraiment besoin.

2. Cuisinez. Ce faisant, vous utilisez la plupart du temps des produits frais. Aussi, les recherches ont démontré que ceux qui cuisinent leurs repas absorbent en moyenne 30 % moins de calories que ceux qui mangent au resto, même lorsqu'ils choisissent l'option santé au menu. Afin d'assurer la conservation des aliments et surtout afin de leur donner plus de goût, les restaurateurs leur ajoutent du gras, du sel et du sucre, trois molécules bon marché qui stimulent les papilles gustatives.

3. Faites votre épicerie en L, c'est-à-dire longez les allées des fruits et légumes, des produits céréaliers et de la viande. Limitez votre passage dans les allées du centre où se trouvent essentiellement les produits transformés. Quelles sont les allées que vous avez l'habitude de fréquenter? Les grandes entreprises alimentaires ne souhaitent qu'une chose: vendre leurs produits (et c'est tout à fait normal!). Elles ont donc tout avantage à nous présenter de beaux emballages bleus avec des mentions rassurantes telles que «Réduit en gras», «Sans cholestérol», etc. On veut nous convaincre à tout prix que ces produits sont santé. J'ai déjà vu un produit allégé dont on avait diminué le contenu... de l'emballage. Les produits diète sont souvent réduits en gras, mais ils contiennent parfois plus d'additifs, de sucre et de sel que le produit standard afin de relever le goût.

4. Ayez l'esprit critique par rapport au mot « santé ». Sa définition diffère d'une compagnie à une autre. Bien que plusieurs croient que tous les granolas et barres tendres sont des produits santé, la plupart ne le sont pas. D'après vous, qu'est-ce qui permet à la barre tendre de tenir ensemble en un beau rectangle ? Ce sont souvent des ingrédients bon marché qui génèrent une surproduction d'insuline et qui en bout de ligne diminue votre énergie. Dans la même ligne de pensée, il faut être en mesure de voir les choses en face et reconnaître que la « malbouffe », c'est de la « malbouffe » ! Par exemple, les chips aux « légumes » ne sont pas des aliments santé car ce sont des chips. Régalez-vous-en point à la ligne ! :) Si vous voulez manger ces aliments, considérez-les comme faisant partie de votre 20 % (voir mon conseil plus bas) et non l'inverse.

5. Respectez la règle du 80-20 : 80 % du temps, ayez un mode de vie sain et actif et l'autre 20 %, accordez-vous des permissions. Personnellement, je bois un verre de vin une à deux fois par semaine et je mange un dessert après le repas du soir deux fois par semaine. N'entreprenez pas de régime, ils ne fonctionnent pas. Établissez un mode de vie où se côtoient rigueur et plaisir que vous pourrez maintenir pour le reste de vos jours.

6. Essayez de ne pas manger en soirée, ou très peu, de manière à mieux récupérer durant la nuit. Durant mes retraites santé, les gens ne mangent pas après le souper et ils dorment en moyenne une heure de moins par nuit. Faites le test vous-même. Si vous vous tapez une grosse bouffe, vous pourrez dormir 12 heures d'affilée. Vous avez

le sentiment d'avoir dormi comme une bûche? Le lendemain, vous vous réveillerez aussi avec l'impression d'être
lourd comme une bûche! Le corps a besoin de tellement
d'énergie pour digérer tout ce qui a été mangé en soirée
qu'il ne récupère pas. Faites le test! Mangez léger et vous
vous réveillerez plus en forme le lendemain.

7. Ajoutez thé vert et café à votre alimentation. En plus
d'être bénéfique pour votre santé, ces deux aliments
vous procurent un regain d'énergie (spécialement le thé
vert!). Pensez-y: on mange souvent pour se donner un
«boost» d'énergie. Avec ces deux aliments, on peut y arriver sans nécessairement augmenter notre tour de taille. Bien
entendu, je ne suis pas en train de vous dire de remplacer
vos repas par des liquides, loin de là! Toutefois, sachez que
ces deux aliments seront de fidèles alliés pour augmenter
votre niveau d'énergie.

MES CONSEILS :

Je vous lance un défi simple qui ne coûte rien ! Vous avez 72 heures pour transformer votre état d'esprit et de bien-être. Tout ce qu'il vous faut, c'est de la volonté et un peu de motivation. Le défi comporte 3 règles :

1 Bougez au minimum 30 minutes par jour sur une base continue (exemple 30 minutes de marche rapide, 30 minutes de natation, etc.), et ce, pendant 3 jours.

2 Ne consommez aucun produit transformé. Ne mangez que des produits à base d'ingrédients frais. Essayez de vous servir des portions « normales » et de ne pas grignoter après votre repas du soir.

3 Dormez au moins de 7 à 8 heures par nuit.

Lors de votre réveil la quatrième journée (ou avant), vous devriez voir des effets positifs sur votre corps et sur votre esprit. Vous m'en donnerez des nouvelles !

CHAPITRE 4:
DANS MON GARDE-MANGER ET MON RÉFRIGÉRATEUR/CONGÉLATEUR

◇◇◇◇◇◇◇◇◇◇◇◇◇◇

« Que ton aliment soit ton médicament. »

– Hippocrate

◇◇◇◇◇◇◇◇◇◇◇◇◇◇

Beaucoup de gens me demandent ce qui se trouve dans mon garde-manger et dans mon réfrigérateur. Plusieurs croient que je détiens l'ingrédient miracle qui me permet de conserver mon poids et qui me motive à bouger. Avec les années, j'ai compris que cet ingrédient n'existe tout simplement pas et que mon meilleur allié restera toujours ma motivation et la manière dont j'entretiens ma relation à la nourriture. En effet, l'alimentation joue un rôle primordial dans mon niveau d'énergie et je connais maintenant les aliments qui me permettent d'en avoir à longueur de journée! Voici ce qui se trouve dans mon garde-manger et mon réfrigérateur et pourquoi je ne pourrais plus m'en passer ! :-)

DANS MON GARDE-MANGER

1- Beurre d'amande naturel

Bien que je n'en consomme pas en quantité industrielle, le beurre d'amande contient des protéines et surtout... du gras. Oui, oui, du gras! Le gras possède la propriété d'augmenter le sentiment de satiété. Je le mange parfois avec une $\frac{1}{2}$ banane et du yogourt grec ou sur des rôties avec des œufs en accompagnement. Un vrai délice !

2- Café en grains

Le café est, selon moi, l'un des meilleurs «coupe-faim» naturels. Il fait partie de la famille des stimulants et bien dosé, il procure de l'énergie pendant une longue période. Beaucoup de gens mangent pour se redonner de l'énergie rapidement. Avec le café, on obtient ce résultat sans avoir à se remplir l'estomac. Je consomme un cappuccino le matin, et parfois un autre vers 15 h. Une dose de caféine, c'est environ 80 mg de caféine, soit l'équivalent d'un espresso. Attention! Un café grand format dans une chaîne de restauration rapide peut contenir jusqu'à 275 mg de caféine, les petits formats, entre 120 à 140 mg. Le café produit un «high» extraordinaire, suivi d'un «crash» qui l'est tout autant... Le système nerveux central a besoin de 80 mg, pas plus. Les études attribuent plusieurs vertus au café, notamment la prévention des maladies de Parkinson et d'Alzheimer[1].

3- Thé vert en feuilles

Le thé vert contient de la théine, une molécule qui s'apparente beaucoup à la caféine. Il contient aussi de l'EGCG, un puissant antioxydant. Boire du thé vert, selon moi, permet d'augmenter

la vitalité. Ceux que j'affectionne le plus: le gyokuro et le sencha. Le premier est reconnu comme étant le plus intéressant à cause de sa haute teneur en antioxydants, mais il est plus coûteux. Une recherche avance que boire quotidiennement café et thé vert diminuerait les risques de tumeurs au cerveau[2].

4- Huile d'olive

Svp, investissez dans une bonne huile, c'est-à-dire de première pression (pressée à froid) et surtout, de bonne qualité. Je sais que plusieurs se disent qu'il ne vaut pas la peine de payer 25 $ pour une bouteille d'huile d'olive, mais regardons les choses d'une autre façon. Souvent, on n'a aucun problème à acheter une bouteille de vin de ce prix pour un repas. Une bouteille d'huile d'olive durera quant à elle de 3 à 12 mois. Pour ceux et celles qui ne veulent pas en consommer à cause de sa teneur élevée en calories, sachez que ce n'est pas 1 cuillère à soupe par jour qui vous fera prendre du poids. De plus, l'huile d'olive pourrait aider à combattre certains types de cellules cancéreuses. Une de mes huiles favorites: la Planeta, distribuée par Favuzzi.

5- Vinaigre balsamique

J'aime le goût que le vinaigre balsamique procure à mes salades. Si vous le combinez à une huile d'olive de qualité et un peu de sirop d'érable, vous obtiendrez une vinaigrette dont vous ne pourrez plus vous passer... (voir recette à la fin du chapitre).

6- Cœurs de palmier en conserve

C'est un dépanneur extraordinaire! En accompagnement d'une viande, dans une salade ou en entrée, ils sont peu énergétiques et tellement bons!

7- Farines, farines et farines...

J'ai toujours dans mon garde-manger de la farine de blé entier, de la farine d'épeautre et de la farine de quinoa. Pourquoi ces trois types? Parce que j'aime bien faire des mélanges afin d'optimiser le goût et surtout, la valeur nutritionnelle de mes plats. Pour ce qui est de la farine blanche, je m'en sers très rarement, car à mon avis, c'est un produit que l'on devrait tout simplement éviter en raison de son indice glycémique élevé et de sa pauvre valeur nutritionnelle.

8- Chocolat noir 70% de cacao minimum

J'ai toujours du chocolat noir dans mon garde-manger. Je l'achète souvent sous forme de pépites, car c'est plus facile à ajouter dans des recettes telles que muffins, granola, yogourt, etc. Bon, je dois admettre que lorsque la faim me tenaille en fin de soirée, j'ai tendance à me régaler de quelques pépites. Le chocolat est riche en polyphénols, un antioxydant naturel.

9- Légumineuses en conserve

Les légumineuses en conserve sont très polyvalentes et surtout, elles sont un substitut de viande peu coûteux et facilement accessible. Je recommande à tout le monde d'en avoir en sa possession! Préparez une grosse salade de légumes, ajoutez une conserve de légumineuses et le tour est joué! Vous aurez un repas vite fait et économique.

10- Thon en conserve

Le thon en conserve est la protéine par excellence pour un repas rapide. Il se marie bien avec un peu de mayonnaise et/ou des avocats dans une salade. Préférez le thon sauvage.

11- Huile de coco

J'adore le goût de l'huile de coco et la texture qu'elle confère aux légumes dans mes sautés et mes plats au curry. On a sou-

vent démonisé cette huile car elle est très riche en gras saturés. Toutefois, ces gras n'auraient pas réellement d'impact sur le taux de lipides sanguin alors pourquoi s'en passer?

12- Beurre de cacao

C'est un corps gras qui emprisonne la saveur des aliments lorsqu'ils sont cuits. J'achète des blocs de beurre de cacao que je râpe finement et je crée une croûte avec des épices afin d'y enrober poisson, fruits de mer ou poulet. Je fais cuire et c'est un pur délice! Il existe également une version râpée de la compagnie Barry Callebaut qui s'appelle Mycryo©.

DANS MON RÉFRIGÉRATEUR/ CONGÉLATEUR

1- Sauce sriracha

Parmi mes incontournables, la sauce sriracha. Très peu calorique, elle rehausse la saveur des aliments. Le goût épicé provient de la capsaïcine, une molécule qu'on retrouve dans le piment fort et qui permettrait d'augmenter le métabolisme basal. Même au repos, en mangeant épicé, on peut augmenter la quantité de calories qu'on brûle. Autre avantage des mets pimentés: ils nous forcent à déposer notre fourchette entre chaque bouchée...

2- Fruits surgelés

Ayez des petits fruits surgelés dans votre congélateur. En plus d'être une excellente source d'antioxydants, ils sont bons au goût et s'utilisent facilement. Et bon à savoir: les fruits surgelés, cueillis à point et surgelés sur le champ, sont plus nutritifs que les fruits frais qui ont été cueillis verts et vieillis durant le transport.

3- Yogourt grec nature

Nous devrions tous en avoir dans notre frigo (à moins de ne pas aimer cela, bien entendu). On peut l'aromatiser avec deux gouttes de vanille, du Stevia ou du Truvia. Les amateurs de sucres «naturels» pourront y ajouter du miel ou du sirop d'érable.

4- Graines de lin et de chia

On utilise les graines de lin et les graines de chia pour leur contenu riche en fibres et en oméga-3. On les ajoute aux céréales, smoothies, salades.

5- Boisson d'amande

La boisson d'amande est une belle option de rechange au lait et elle a bon goût. On la choisit idéalement naturelle, non sucrée.

6- Légumes

On a une provision de légumes frais déjà coupés au réfrigérateur. Cela facilite beaucoup les choses lorsqu'on a un petit creux car s'il faut choisir entre un sac de chips prêt à manger ou peler et couper des légumes, on optera souvent pour l'option la plus rapide... Si vous manquez de temps, achetez des légumes pré-coupés à l'épicerie.

7- Protéines de qualité

Fruits de mer, poisson, volaille, œufs... J'ai toujours ces aliments en abondance dans mon réfrigérateur et/ou mon congélateur. En plus de vous rassasier, les protéines sont indispensables au bon fonctionnement du corps humain.

8- Fruits

Les fruits sont vos alliés dans un processus de santé globale. Préférez-les aux produits transformés et, surtout, aux jus de fruits. Pourquoi manger les fruits sous forme solide plutôt

que liquide ? Tout simplement parce que le cerveau n'a pas tendance à comptabiliser les calories ingérées sous forme liquide et que sans les fibres contenues dans le fruit, le sucre du jus fait monter l'indice glycémique.

9- Fromage feta et fromage de chèvre

Ces fromages se marient à pratiquement tous les plats que l'on cuisine et ont un ratio gras/protéines vraiment intéressant. Personnellement, j'aime beaucoup le petit goût aigre de leurs versions allégées. Mariez-les à des tomates, du concombre et de l'oignon pour une délicieuse salade grecque ! Pour le fromage de chèvre, on l'émiette par-dessus pratiquement n'importe quel plat et on obtient un chef-d'œuvre culinaire à tout coup !

10- Avocat

Bien qu'il entre dans la catégorie des fruits, je me devais de lui réserver une place de choix dans ce top 10, car j'en mange pratiquement tous les jours. Et je ne grossis pas ! Beaucoup de gens boudent les avocats en prétextant leur contenu élevé en calories. Sachez que le quart d'un avocat vous apportera en moyenne aussi peu que 90 à 100 calories. En échange de ces calories, vous obtiendrez une source de gras qui liera le goût de vos aliments et qui ne vous donnera pas l'impression de manger une « salade de régime ». Mon conseil ? Réduisez vos collations de fin de soirée et permettez-vous le quart d'un avocat par jour.

Quelques conseils en vrac

■ *Mangez des patates douces au lieu des pommes de terre blanches. Elles contiennent des anthocyanines, un puissant antioxydant qui aide à prévenir certains cancers. La patate douce a aussi un index glycémique deux fois moins élevé que la pommes de terre blanche. Les diabétiques de type 2 auraient, selon moi, tout intérêt à en consommer.*

■ *Ayez toujours de l'eau fraîche à votre disposition. Les boissons diète ne contiennent aucune calorie, mais entretiennent le goût du sucre. Buvez de l'eau !*

■ *Préparez-vous des boissons avec des glaçons, ½ tasse de petits fruits, un peu d'essence de vanille et quelques gouttes de jus de citron. Ajoutez un soupçon de Stevia et de l'eau. Mélangez bien. Vous obtiendrez la meilleure limonade qui soit. Elle est naturelle, désaltérante et ne contient presque pas de calories.*

■ *On devrait manger dans des assiettes rouges et rondes. Des études ont démontré que ceux qui le faisaient mangeaient en moyenne 10 % moins de calories que les autres[3]. L'assiette rouge et ronde rappelle le panneau de signalisation « Arrêt ». Devant ce rappel inconscient, notre cerveau reptilien émettrait un signal de satiété.*

MA RECETTE DE VINAIGRETTE

Ingrédients

125 ml (½ tasse) d'huile d'olive

90 ml (6 c. à soupe) de vinaigre balsamique

5 ml (1 c. à thé) de moutarde de Dijon

De 15 à 30 ml (1 à 2 c. à soupe) de sirop d'érable

Sel et poivre, au goût

Préparation

Mélangez les ingrédients vigoureusement.
Versez sur la salade et conservez le reste
au réfrigérateur pour d'autres repas! :)

[1] Eskelinen MH, Kivipelto M. Caffeine as a protective factor in dementia and Alzheimer's disease. J Alzheimers Dis. 2010; 20 Suppl 1:S167-74. doi: 10.3233/JAD-2010-1404.

[2] Michaud DS, Gallo V, Schlehofer B et al. Coffee and tea intake and risk of brain tumors in the European Prospective Investigation into Cancer and Nutrition cohort study. American Journal of Clinical Nutrition, September 15, 2010.

[3] Koert Van Ittersum and Brian Wansink Plate Size and Color Suggestibility: The Delboeuf Illusion's Bias on Serving and Eating Behavior. Journal of Consumer Research.

CHAPITRE 5 :
L'ALCOOL

◇◇◇◇◇◇◇◇◇◇◇◇◇◇

« S'il se passe un truc moche, on boit pour
essayer d'oublier ; s'il se passe un truc chouette,
on boit pour le fêter, et s'il ne se passe rien,
on boit pour qu'il se passe quelque chose. »
– Charles Bukowski

◇◇◇◇◇◇◇◇◇◇◇◇◇◇

L'alcool est naturellement un dépresseur. Il est, selon moi, un inhibiteur de bonne volonté et freine le processus de perte de poids. Comment cela est-il possible ? Je vous explique. L'alcool incite à reporter toutes ses bonnes résolutions au lendemain. Durant un souper bien arrosé, si vous prenez 1 ou 2 consommations, cela risque de bien aller. Toutefois, si vous vous rendez à une troisième consommation et que vous êtes une personne sensible aux effets inhibiteurs de l'alcool, vous risquez fort bien de vous mettre en mode « party » et de vous dire : « Ce n'est pas grave, je recommencerai demain ». En effet, quand la volonté flanche, tous les engagements que vous

avez pu prendre (je ne toucherai pas au pain, je ne mangerai pas de dessert, je ne ferai pas d'abus, etc.) s'envolent souvent comme par magie.

• • • • • • • • • • •

Êtes-vous du type à avoir tout essayé pour perdre du poids? Êtes-vous tanné d'être fier de vous du lundi au jeudi et de bousiller vos efforts de la semaine pendant le week-end? Si c'est le cas, je vous conseille de tenter un défi sans alcool pendant un mois. Je sais, vous allez me dire «Non! S'il te plaît Jimmy, tout mais pas ça!» et vous avez raison. Moi-même je ne suis guère enthousiaste à l'idée de devoir m'abstenir de tout alcool lorsque je me prépare pour un événement sportif. Le premier week-end, même si je ne suis qu'un buveur occasionnel (en moyenne 1 à 2 consommations/semaine), je recherche ma coupe de vin qui me donnera une sensation de relaxation et de bien-être (artificiel). Après deux semaines, je n'en ai plus besoin et je peux vous garantir que cela a un effet très bénéfique sur pratiquement tous les aspects de ma vie. Mon sommeil est plus réparateur et lorsque je me réveille, j'ai le goût de me mettre en action immédiatement. Ce n'est évidemment pas le cas lorsque je me lève le lendemain d'un souper bien arrosé.

• • • • • • • • • • •

D'un point de vue plus scientifique, je ne vous apprendrai rien en vous disant que l'alcool peut altérer votre jugement. Si vous vous entraînez, cela risque de vous affecter encore plus. En effet, une étude a démontré[1] que dans les équipes sportives, cela pouvait augmenter le risque de blessures d'environ 30 % chez les athlètes qui buvaient régulièrement versus ceux qui ne consommaient pas d'alcool. De plus, lorsque vous êtes en mode «lendemain de veille», sachez que vos performances physiques sont directement affectées (11,4 % en moyenne).

L'alcool aurait également un effet sur certains types de cancer. Une revue de 113 études[2] sur le sujet a révélé que les femmes qui consommaient 1 consommation par jour (même le vin rouge) pouvaient augmenter de 5 % les risques de cancer du sein. Une autre étude[3] a démontré qu'une personne qui boit de temps en temps a 7 % plus de risques de développer un cancer colorectal, et que ce chiffre grimpe à 21 % avec de 1 à 4 consommations par jour.

Sans vouloir tenir de discours alarmiste, je crois que l'alcool empêche les êtres humains de se développer à leur plein potentiel. Cela ne veut pas dire qu'il faille s'abstenir de tout alcool ! Mais si vous le pouvez, n'en buvez pas tous les jours et essayez le plus possible de limiter votre consommation. Je recommande 4 consommations par semaine maximum, étalées si possible sur au moins deux soirs.

Personnellement, je ne m'empêche pas de boire deux coupes de vin au souper de manière occasionnelle. Toutefois, je sais que je devrai probablement en payer le prix. Malgré le fait que je m'hydrate bien, je me réveille souvent durant la nuit. J'ai soif, je ne me sens pas bien. Et que dire du lendemain…

Le vin contient généralement des agents de conservation et il nous est souvent impossible de savoir lesquels. Tout ce qu'on peut lire sur la bouteille de vin est: «Contient des sulfites», sans plus. Selon moi, on aurait tout avantage à privilégier les vins bio. Ces derniers contiennent également des sulfites, mais généralement en moindre quantité. Bref, buvez moins, mais intelligemment.

MON CONSEIL :

Abstenez-vous de tout alcool pendant quelques mois. Après cette période, prenez l'équivalent de deux portions d'alcool sur une période de 1 ou 2 heures. Vous allez vite constater l'effet sur votre corps. Et rappelez-vous : boire de l'alcool tous les jours n'est pas un bon choix quand on est dans un processus qui vise à assainir ses habitudes de vie.

[1] Li GH, Baker SP. Alcohol in the fatally injured bicyclist. Accid Anal Prev 1994; 26: 543–8

Lyons FP. Can regular alcohol consumption increase the risk of injury [thesis]? Exeter: University of Exeter, 1998

[2] Bagnardi V, Blangiardo M, La Vecchia C, et al. Alcohol consumption and the risk of cancer – a meta-analysis. Alcohol Res Health 2001; 25(4):263–70

Seitz HK, Pelucchi C, Bagnardi V, et al. Epidemiology and pathophysiology of alcohol and breast cancer: update 2012. Alcohol and Alcoholism 2012; 47(3):204–212. doi:10.1093/alcalc/ags011

[3] Fedirko V, Tramacere I, Bagnardi V, et al. Alcohol drinking and colorectal cancer risk: an overall and dose-response meta-analysis of published studies. Ann Oncol 2011; 22(9):1958–72. doi:10.1093/annonc/mdq653

Alcohol consumption and cancer risk: understanding possible causal mechanisms for breast and colorectal cancers, November 2010. Agency for Healthcare Research and Quality, Rockville, MD.

CHAPITRE 6 :
LE SUCRE

◇◇◇◇◇◇◇◇◇◇◇◇◇◇◇

« La puissance de la dépendance du sucre est
aussi forte que la dépendance de l'héroïne. »
— Danièle Starenkyj, Le mal du sucre, Orion

◇◇◇◇◇◇◇◇◇◇◇◇◇◇◇

On estime que 70 % des maladies sont directement ou indirectement liées à un processus inflammatoire. On reconnaît que le sucre raffiné est une substance qui crée de l'inflammation dans le corps. Pour cette raison, les études suggèrent de limiter sa consommation.

• • • • • • • • • •

Prenez soin de votre corps : c'est le seul endroit
où vous devrez passer toute votre vie.

• • • • • • • • • •

Le sucre est 8 fois plus addictif que la cocaïne. Lors d'une expérience scientifique menée auprès de 43 rats de laboratoire

pendant 15 jours, on a constaté que s'ils avaient le choix entre une solution avec de la cocaïne et une autre avec du sucre, 40 rats ont choisi le sucre. Certains diront que les rats et les humains sont fort différents. Eh bien non!

J'ai l'occasion d'animer des retraites santé où le sucre raffiné est exclus. Pendant toute une semaine, c'est moi qui choisis l'alimentation des participants. Ne vous en faites pas; je ne les affame pas! :) Ils ont plusieurs options de menus et tout est frais et cuisiné sur place. Lorsqu'ils arrivent, je les avise qu'ils risquent de souffrir de sautes d'humeur, de faiblesse et/ou d'étourdissements. Ces symptômes surviennent lors d'un sevrage au sucre raffiné. Certaines personnes qui s'inscrivent aux retraites consomment principalement des produits transformés. Les 2 ou 3 premiers jours, elle ne trouvent pas ça drôle du tout... Toutefois, après 72 heures, leur corps a eu le temps de récupérer et de se stabiliser. On assiste alors à de beaux événements. En effet, à la fin de la semaine, plusieurs personnes sont transformées car elles sont revenues à la base : elles ont mangé des produits non-transformés, sans sucres raffinés, elles ont bougé et dormi au minimum 7 heures par nuit.

Lors d'une retraite en octobre 2016, j'ai assisté à quelque chose de particulièrement surprenant! Un homme diabétique de type 1 a stabilisé sa glycémie en trois jours et du même coup, il n'a plus eu besoin de s'injecter d'insuline en restant dans cet environnement contrôlé. Bien entendu, de retour dans son quotidien, il devrait reprendre ses injections car cette maladie demeure incurable (pour le moment). Toutefois, cela démontre à quel point les habitudes de vie influent sur la santé!

Vous savez quel est le vrai problème avec le sucre? Il est multifacette. Premièrement, il demande une charge de travail considérable au pancréas pour rééquilibrer le taux de sucre sanguin (glucose) en sécrétant de l'insuline. La quantité d'insuline distribuée dans votre sang varie en fonction de votre glucose sanguin et lorsque son niveau est trop élevé, cela provoque de l'inflammation qui, elle, peut provoquer divers problèmes de santé tels que de de la fatigue, des baisses d'énergie, de la haute pression, des crises cardiaques, etc. De plus, une sursécrétion d'insuline provoquera à nouveau des envies de sucre et donc, un cercle vicieux!

En vous référant au tableau plus bas, vous pourrez constater que la consommation de sucre a explosé au fil du temps et ce fait est directement relié à la prévalence d'obésité.*

*Source: Johnson RJ, et al. Potential role of sugar (fructose) in the epidemic of hypertension, obesity and the metabolic syndrome, diabetes, kidney disease, and cardiovascular disease. The American Journal of Clinical Nutrition, 2007.

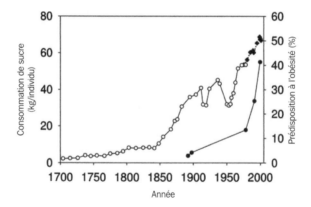

Il est important de comprendre qu'un aliment bon au goût ne l'est pas nécessairement pour votre santé. Si vous avez adopté une alimentation malsaine, ma question pour vous est simple: «Pour vivre en pleine santé et vous épanouir comme jamais auparavant, êtes-vous prêt à arrêter (ou à diminuer drastiquement) ce que vous aimez le plus?» Au risque de me répéter, il n'y a aucun problème selon moi à faire un excès de temps en temps, mais consommer de la malbouffe sur une base régulière ne vous permettra pas de vous épanouir à 100 %.

• • • • • • • • • •

Certains d'entre vous se diront certainement que j'exagère en stipulant que l'alimentation affecte notre corps et notre esprit. Je vous comprends car j'étais exactement à la même place lorsque j'étais obèse morbide. Avec le temps, j'ai réellement compris qu'on est ce qu'on mange. Tout comme le fumeur qui arrête de fumer et qui ne voudrait pas revenir en arrière pour tout l'or du monde, en changeant vos habitudes alimentaires et plus particulièrement en diminuant votre consommation de sucres raffinés, vous allez remarquer comme les légumes ont bon goût, comme les épices et herbes fraîches rehaussent les plats, etc. Vous redécouvrirez le bonheur de manger frais, naturel, santé. Alors, vous embarquez?

• • • • • • • • • •

Si, pour vous, manger du sucre est non-négociable, alors bougez! En effet, lorsque vous en consommez, vous disposez d'environ une heure pour l'utiliser comme source d'énergie directe. Un sportif qui a besoin de glucose pendant une performance peut bénéficier des effets immédiats du sucre. J'en mange toujours sous forme de gels, jujubes et barres durant les triathlons, les marathons bref, tout événement sportif intense de plus d'une heure et qui me demande de l'énergie immédiate; ils me procurent le glucose dont j'ai besoin pour performer.

Il y a une dizaine d'années, une de mes connaissances du milieu de l'alimentation m'avait raconté qu'Andre Agassi disait manger un sandwich de pain blanc aux tomates afin de récupérer. C'était sa dose de sucre. Je sais que certains vont penser que le pain n'est pas un sucre rapide. Mais s'il est blanc, c'en est un! Les sucres rapides se retrouvent dans la quasi-totalité des aliments transformés. Même chose pour la farine: la farine blanche devrait être remplacée par de la farine à base de grains entiers, intégrale ou moulue sur pierre. Côté calories, je vous l'accorde, les pains et pâtes entières contiennent parfois plus de calories par portion, mais cela en vaut tellement la peine pour améliorer votre niveau d'énergie! Donc, si vous mangez quatre tranches de pain blanc avec de la confiture au petit déjeuner, vous risquez de connaître un épisode de «crash énergétique» quelques heures après.

MON CONSEIL :

Je surveille la quantité de sucre que j'ingère. Notre corps est notre véhicule : on choisit de le traiter comme une formule 1 ou comme une minoune. Et vous, avec quel type de bolide souhaitez-vous poursuivre votre vie ?

CHAPITRE 7

MES CONSEILS AUX PERSONNES EN SURPOIDS

« Mieux vaut avoir un régime de vie que de passer sa vie au régime. » — Jimmy Sévigny

Vous êtes en surpoids ? Vous aimeriez maigrir et vous sentir bien dans votre corps ? Voici mes conseils.

1. On me demande souvent quels sont les meilleurs trucs pour maigrir. Ce n'est pas compliqué : il faut limiter sa consommation de produits transformés. Les céréales du commerce, même si certaines ne contiennent que 80 ou 100 calories par portion, ne rassasient pas et en plus, elles ont tendance à augmenter la glycémie. Selon moi, les seules céréales vraiment bonnes pour la santé sont celles qu'on trouve dans la nature à l'état quasi brut, comme le gruau qui doit être cuit au moins 5 minutes

pour être comestible. Je parle ici des céréales, mais j'en aurais également long à dire sur les «tartinades». Les gens désirent souvent bannir le pain de leur alimentation, mais en regardant de près, on se rend vite compte que c'est ce qu'ils mettent dessus qui mérite qu'on s'y attarde. Je dis souvent «qu'une toast s'appelle une toast, pas un rack à condiments». En consultation, il n'est pas rare de rencontrer des gens qui mettent sur leurs rôties beurre, beurre d'arachide, tartinade aux noisettes et rondelles de bananes (pour l'aspect santé). Le problème ne se situe donc pas avec la tranche de pain...

2. Ne vous fiez pas qu'à l'IMC (indice de masse corporelle). Parfois, des gens qui me consultent me demandent combien de poids ils devraient perdre. Qui suis-je pour leur dire cela? Si une personne veut perdre 100 livres et que je considère qu'elle doit en perdre 60, elle va trouver que je ne suis pas ambitieux. Si c'est l'inverse, elle risque d'être insultée. Je considère qu'il ne faut pas viser le poids santé, mais le poids plaisir soit celui avec lequel vous vous sentez bien, qui fait que vous aimez l'image que renvoie votre miroir et qui nourrit votre amour-propre. Par exemple, selon la charte de l'IMC, je suis en situation d'embonpoint car le mien est de 25,1. Pourtant, j'ai complété deux Ironman©, 4 Ironman© 70.3, et j'organise des expéditions où je grimpe le mont Washington ou d'autres montagnes. Et je m'aime comme je suis! Il n'y a que vous pour déterminer votre poids idéal.

3. Pour ne pas succomber à la tentation, éloignez-la! Les gens me demandent souvent quel est mon truc pour éviter les chips. C'est simple: je n'en achète pas! Si vous en avez à la maison, je vous suggère d'utiliser le truc du gardien. Placez une conserve de thon dans l'eau au premier plan de votre garde-manger. Si vous avez une rage de chips – ou d'autre

chose non santé –, vous devez d'abord manger la conserve de thon avant d'ouvrir votre sac de chips. Il se peut que vous renonciez et que vous réalisiez que votre envie de manger des chips était due à de l'ennui, de la fatigue ou une mauvaise gestion de vos émotions.

4. Si vous avez une rage de nourriture, sachez que, bien souvent, elle n'est pas physiologique, mais psychologique. Le fait d'aller marcher ou de vous entraîner vous coupera l'appétit et vous fera oublier votre faim. Quand on mange par ennui, c'est généralement pour occuper son corps et se redonner un peu d'énergie. C'est notamment pour cette raison que la pratique d'une activité physique est formidable. Quand vous vous sentez au bord de craquer et que l'envie de manger n'importe quoi vous prend, respirez une bonne dizaine de fois par le nez et allez prendre une marche, ça presse!

5. Vous vous sentez au bord de craquer? Voici mon truc: la règle du 1-2-3. 1, c'est lorsqu'on a envie de manger un aliment, 2, c'est quand on passe à l'action et 3, c'est quand on a du regret. Dès que le 1 se fait sentir, pensez au 3. Dites-vous: «Si je mange ça, vais-je le regretter par la suite?» Si la réponse est oui, vous n'avez peut-être pas nécessairement besoin de cet aliment. Aussi, rappelez-vous que si vous succombez à vos émotions parce que vous venez d'apprendre une mauvaise nouvelle, après cet épisode de compulsion, vous aurez deux problèmes: le problème initial toujours présent auquel s'ajoute celui d'avoir trop mangé. :)

6. Si vous avez envie de manger sans raison, reportez votre décision de 10 minutes. Dites-vous: «Si j'ai encore envie de manger ce sac de chips ou cette tablette de chocolat dans 10 minutes, je la mangerai.» La plupart du temps, votre envie se sera estompée. Si vous êtes un fumeur, essayez ce truc aussi : vous m'en donnerez des nouvelles ! La nourriture et la cigarette peuvent être des compensations. Point à la ligne.

7. Aimez-vous et croyez en votre potentiel. Je vous le garantis : tout part de là ! Si vous ne vous aimez pas et que vous décidez de perdre du poids pour plaire à quelqu'un, le processus risque de ne pas fonctionner ou alors, de réussir sur une très courte période de temps. Combien de personnes ai-je vues se mettre «au régime» pour attirer quelqu'un et reprendre leur poids par la suite ? D'autres tentent de maigrir pour un événement spécial. Honnêtement, mon père a dû perdre 1 000 livres dans sa vie. Outre la dernière tentative, il ne l'avait jamais fait selon moi pour les bonnes raisons.

Parce qu'on me la demande souvent, voici mon opinion sur les chirurgies bariatriques. Les personnes qui m'écrivent régulièrement à ce sujet me disent souvent que si elles choisissent cette option, ça sera pour elles comme un échec car elles n'auront pas réussi à maigrir par elles-mêmes. À vous tous et toutes qui pensez cela, je vous assure que ce n'est pas un échec. Voyez l'intervention comme une chance de plus dans votre processus, mais sachez que c'est loin d'être une solution miracle. Beaucoup de gens qui ont subi cette opération viennent me consulter et la plupart du temps, ils ont repris tout ou en quasi-totalité le poids perdu. L'opération en soi est une aide, pas un miracle. Si vous ne modifiez pas vos habitudes alimentaires et votre style de vie en général, vous retournerez malheureusement à la case départ. De mon coté, je l'avoue, je n'ai pas subi ce type de chirurgie parce que la liste d'attente était beaucoup trop longue. Toutefois, si vous désirez y avoir recours, rappelez-vous l'objectif : être en forme et en santé. Honnêtement, on se fout de savoir qu'untel a été opéré

et l'autre non. Si ces personnes sont toutes deux en santé et qu'elles s'aiment davantage, c'est ce qui compte.

Maintenant, pour tous ceux et celles dont l'humeur varie en fonction du poids affiché sur le pèse-personne, de grâce, arrêtez de vous peser tous les jours! La pesée n'est pas pour tout le monde. Même pour moi, ça ne marche pas. Je ne monte presque jamais sur un pèse-personne, je fonctionne plutôt avec trois grandeurs de jeans: des 33, des 35 et des 37. Lorsque je porte les premiers, c'est que tout va bien, je suis sur mon X. Les seconds trahissent une prise de poids, mais si j'ai besoin de mes 37, il est grandement temps je me reprenne en main! C'est le moyen que j'ai trouvé pour ne pas me mettre trop de pression. Généralement, les gens mettent trop l'accent sur la balance. J'ai suivi des clients qui n'ont pas perdu une once avec mes conseils et mon entraînement, mais alors qu'à notre première rencontre, ils étaient incapables de marcher pendant une minute sur un tapis roulant, ils peuvent maintenant garder le rythme pendant 45 minutes. Améliorer son état de santé de manière significative est une grande victoire en soi et cela ne passe pas impérativement par le pèse-personne. Mieux vaut cesser de se mettre de la pression avec lui. C'est la qualité de vie qui compte. J'ai des clients qui se pèsent de manière compulsive 8 fois par jour, même après avoir bu un verre d'eau. Si vous buvez du vin, mangez une fondue chinoise bien salée avec du pain, du fromage et un dessert, n'allez pas vous peser le lendemain, car le chiffre qui va apparaître sur le pèse-personne vous découragera. La pesée est-elle pour vous un outil utile de calibration corporelle? Êtes-vous capable de vous dissocier du chiffre qui s'affiche sur la balance? Êtes-vous marabout si ce chiffre ne correspond pas à vos attentes? Ne soyez pas esclave du pèse-personne. Achetez des vêtements plus ajustés et d'autres qui le sont moins, et grâce à eux, vous saurez où vous en êtes.

MON CONSEIL :

*Je sais que si vous êtes en situation de
surpoids et surtout d'obésité morbide, vous
vous direz probablement à la lecture de ce
chapitre que ce que je propose est plus facile
à dire qu'à faire. Je vous comprends : j'étais
à la même place que vous. D'après vous,
qu'est-ce qui conduit à un choix alimentaire
santé versus la malbouffe ? Vous me direz
probablement que c'est dans votre cerveau
que ça se passe. Si, au moment de choisir
ce que vous allez mettre dans votre bouche,
votre estime personnelle est à plat, vous
risquez de choisir la malbouffe car dans
votre tête, les mêmes vieux « patterns »
roulent en boucle. Vous vous dites sûrement
qu'une fois de plus ou de moins ne changera
pas grand-chose à votre situation, que
de toute façon, c'est foutu. Ou encore,
vous balancerez cette phrase qui autorise
toutes les dérives : « De toute façon, on va
tous mourir un jour ou l'autre… » C'était
exactement le genre de raisonnement que
j'entretenais dans mon ancienne vie. Je
vous assure que si vous travaillez sur vous,
ce qui s'avère généralement un processus
de longue haleine, vos pensées et vos choix
alimentaires pourraient être fort différents.
Vous n'êtes pas l'esclave de la bouffe !*

CHAPITRE 8

LES SUPPLÉMENTS

« Les études scientifiques ainsi que les derniers ouvrages publiés à ce sujet me portent à croire que la plupart des gens auraient tout intérêt à se supplémenter en oméga-3 et en vitamine D. »
— Jimmy Sévigny

On me demande souvent mon opinion sur les suppléments. Si vous m'aviez posé la question il y a 3 ans, je vous aurais probablement tenu un tout autre discours, mais puisque nos pensées évoluent au fil du temps, ma position a évolué. Je demeure convaincu qu'on peut réussir à bien s'alimenter et à combler la quasi-totalité de nos besoins via l'alimentation fonctionnelle. Toutefois, des études scientifiques ainsi que les derniers ouvrages publiés à ce sujet me portent à croire que la plupart des gens auraient tout intérêt à se supplémenter en oméga-3 et en vitamine D.

Sans m'étendre sur le sujet, je vous présente quelques supplé-ments qui peuvent, selon moi, s'avérer fort utiles.

Les oméga-3

Les oméga-3 sont des acides gras essentiels que l'on doit consommer car notre corps est incapable de les synthétiser. Ils ont un effet positif sur la composition des membranes cellu-laires et sont impliqués dans plusieurs processus biochimiques de l'organisme. Des études tendent également à démontrer que les oméga-3 auraient un effet bénéfique non-négligeable sur l'humeur ainsi que sur la santé cardiovasculaire.

Parmi ses bienfaits, on estime que la prise d'oméga-3 permet de maintenir son poids. Je ne suis pas un scientifique, mais j'ai remarqué que lorsque j'en manque, mon appétit augmente et mon niveau d'énergie varie beaucoup plus que lorsque j'en consomme sur une base régulière.

En théorie, vous pourriez combler vos besoins en mangeant chaque jour :

65 g de saumon atlantique d'élevage ;

ou 80 g de saumon rose ou rouge en conserve ;

ou 80 g de hareng ;

ou 130 g de sardines en conserve.

Si vous n'y arrivez pas, la supplémentation pourrait devenir un bon allié pour vous ! Privilégiez des suppléments qui sont certifiés écoresponsables et à base d'huile ultra filtrée pour éviter les métaux lourds.

En ce qui concerne les oméga-3 d'origine végétale tels que la graine de lin, la graine de chia, etc., la plupart des chercheurs croient que la conversion effectuée par notre corps n'est pas op-

timale et que les oméga-3 issus des poissons seraient beaucoup mieux absorbés. Privilégiez donc les sources animales.

La vitamine D

La vitamine D, également connue sous le nom de calciférol (qui signifie littéralement «porteuse du calcium»), est essentielle au bon fonctionnement du corps humain. En effet, en plus d'être nécessaire à la santé des os et des dents, elle jouerait un rôle dans le processus de sécrétion d'insuline[1]. Il semblerait qu'une bonne partie de la population soit déficiente en vitamine D.

Normalement, 15 minutes d'exposition au soleil, ne serait-ce que de vos mains, de vos bras et de votre visage, suffiraient à combler de 80 à 90% de vos besoins journaliers en vitamine D. Toutefois, plusieurs spécialistes s'entendent pour dire qu'il n'est pas recommandé de sortir au soleil sans écran solaire donc, nous nous retrouvons dans une impasse. Mis à part la supplémentation, l'option du filet de saumon grillé demeurera votre plus fidèle allié alimentaire pour vous procurer de la vitamine D; une portion de 100 grammes vous fournira entre 600 à 920 UI*/ jour (certains chercheurs recommandent de plus grandes quantités). S'il vous est difficile de consommer du saumon tous les jours, songez à vous supplémenter.

Le curcuma

Le curcuma est probablement un des aliments les plus puissants à l'état naturel. On ajoute du poivre pour multiplier ses effets et on le consomme avec un corps gras car la molécule active issue du curcuma, la curcumine, est liposoluble*. Des études ont démontré que c'est un anti-inflammatoire efficace, qu'il améliore la circulation sanguine en combinaison avec l'entraînement[2], qu'il aide à diminuer le tissu adipeux[3] et qu'il facilite la digestion. En Inde, certains types de cancers sont quasiment inexistants et c'est en tentant de trouver un lien de cause à effet qu'on a soupçonné le curcuma d'en être la raison. Je recommande donc des suppléments de curcuma qui contiennent déjà de la pipérine. Il suffit de les prendre en même temps que ses oméga-3 (car le curcuma est liposoluble), et le tour est joué !

La glutamine

La glutamine est un acide aminé pouvant diminuer la fatigue musculaire qui pourrait aider les athlètes d'endurance à tenir le coup dans les dernières semaines de préparation avant leur compétition. Personnellement, elle m'a énormément aidé à bien me préparer à certains événements sportifs auxquels j'ai participé.

Certaines lectures changent nos vies. Le livre Optimal Physiology for Life du Dr Pierre Cloutier (en anglais seulement), en est un qui a changé ma perception de l'alimentation et de la supplémentation. Dans ses pages bien documentées, il explique le rôle de certaines vitamines et hormones dans le corps humain. Bien que je ne sois pas en accord avec tout ce qu'il avance, cet ouvrage est vraiment bon !

UI : unité internationnale

Liposoluble : substance qui est soluble dans les graisses, c'est-à-dire dans les lipides.

[1] Courbebaisse M, Souberbielle JC, Prié D, Thervet E. Non phosphocalcic actions of vitamin D. Med Sci (Paris). 2010 Apr;26(4):417-21.

[2] Akazawa N, et al Curcumin ingestion and exercise training improve vascular endothelial function in postmenopausal women . Nutr Res. (2012)

[3] Asma Ejaz, Dayong Wu; Curcumin Inhibits Adipogenesis in 3T3-L1 Adipocytes and Angiogenesis and Obesity in C57/BL Mice[1-3]. Journal of nutrition 2009

CHAPITRE 9 :
VIE ACTIVE

« *Un entraînement de 30 minutes*
représente seulement 2% de votre journée. »
— Jimmy Sévigny

Plusieurs se sentent coupables de s'accorder du temps pour s'entraîner, des parents notamment se sentent mal de glaner des minutes à leurs enfants. Si vous quittez la maison une demi-heure et qu'à votre retour, vous avez oublié vos soucis et que vous êtes de meilleure humeur, c'est toute la famille qui en bénéficiera. Souhaitez-vous passer deux heures et demie avec vos enfants alors que vous êtes fatigué, à bout de nerfs et peu enthousiaste ou préférez-vous leur consacrer deux heures, mais présenter l'image d'un parent en super forme, de bonne humeur et confiant ?

• • • • • • • • • • •

Mon point de vue sur la question est fort simple : de la même manière qu'il faut être heureux pour inspirer le bonheur, il faut être actif pour donner à nos enfants le goût de bouger.

• • • • • • • • • • •

À ceux qui souhaitent se remettre à l'activité physique, sachez que vous devez bouger pour vivre et non pas pour maigrir. Si vous bougez dans le but de maigrir, ne perdez plus votre temps, vous risquez d'être déçu ! Faites autre chose qui vous passionne : du macramé ou du dessin, qu'importe ! Car quoique vous en pensiez, la pratique d'une activité physique entraîne une perte de poids minime.

Encore aujourd'hui, entre 50 et 100 personnes chaque semaine m'écrivent pour me demander pourquoi elles ne perdent pas de poids en s'entraînant quatre heures par semaine au gym. Sachez que la perte de poids se joue d'abord au niveau alimentaire. Lors de ma participation à mon premier Ironman©️ qui avait duré 12 heures, croyez-le ou non, j'ai pris du poids. J'avais mangé des jujubes et des gels tout au long de l'activité et j'avais pris un bon repas après l'événement. Pour perdre du poids, il faut créer un déficit énergétique. Je peux déjà entendre des gens s'exclamer : « C'est beaucoup plus compliqué que cela la perte de poids ! Ce n'est pas juste une question de calories ingérées versus des calories dépensées ! » Et vous avez raison ! Il y a d'autres aspects à considérer : la santé, la vitalité et la fonctionnalité des aliments que vous ingérez, mais à la base, si vous n'êtes pas capable de créer un déficit, vous serez peut-être plus en santé, mais vous ne perdrez pas de poids.

Alors si vous ne vous entraînez pas pour maigrir, pourquoi le feriez-vous ? Bougez pour vivre, pour avoir une meilleure estime de vous-même, pour obtenir une confiance inébranlable en vous, pour votre amour propre, pour vous épanouir, pour vous aimer, pour vous prouver que tout est possible, pour accomplir de grandes choses, pour vous aider à devenir un meilleur être humain, pour améliorer votre sommeil, pour diminuer vos risques de maladies cardiovasculaires, mais ne bougez pas pour maigrir. Si vous poursuivez cet objectif, vous risquez d'entretenir un rapport désagréable avec l'exercice et cela vous rendra malheureux. Vous aurez constamment l'impression d'être dans une mauvaise relation. Trouvez la motivation qui a un sens pour vous.

Bouger comporte son lot de bénéfices notamment la sécrétion d'hormones comme l'endorphine, un antidépresseur naturel, et la sérotonine qu'on surnomme aussi l'hormone du bonheur. Lorsque je m'entraîne, mes problèmes se relativisent d'eux-mêmes. Ce qui me stressait avant a moins d'importance par la suite. Pour cette raison, dès que je suis absorbé par un problème, je vais courir. Sans manquer d'égard à la profession, j'aime bien la pensée qui dit que «Courir, c'est moins cher que le psy!» L'activité physique nous remet les idées en place.

• • • • • • • • • • •

*Souvenez-vous: l'alimentation change votre poids,
l'entraînement change votre corps et votre esprit.*

• • • • • • • • • • •

MON CONSEIL :

Mettez votre entraînement ou la pratique de votre sport à l'agenda, comme tout autre rendez-vous d'importance. Entre le travail et les rencontres amicales, apprenez à vous réserver du temps. Ces moments consacrés à votre bien-être devraient être non-négociables. Respectez les rendez-vous que vous prenez avec la personne la plus importante de votre vie: vous-même.

CHAPITRE 10 :
LE GOÛT DU DÉPASSEMENT

« Si je vise le soleil, je peux frapper une étoile. »

– P. T. Barnum

C omme vous avez pu le constater à la lecture de ce livre, je suis une personne qui carbure aux défis. Afin de m'accomplir à mon plein potentiel, je dois toujours sentir qu'il y a une façon d'avancer. Que ce soit dans ma vie professionnelle, sur le plan sportif ou dans ma relation de couple, il doit y avoir des projets dans l'air. Je considère que c'est ce qui permet aux humains d'évoluer. Le meilleur exemple, c'est le triathlon.

En 2005, j'ai croisé Gérald, le conjoint de ma cousine. Il courait sur le bord du fjord au Saguenay et semblait en pleine forme. Il m'a dit qu'il faisait des triathlons. Pour ceux et celles qui ne connaissent pas ce sport, il combine trois disciplines : la natation, le vélo et la course à pied. Je me suis dit : « Wow! 3 sports en 1! C'est fait pour moi! » Il a donc gentiment accepté que je m'entraîne avec lui en me donnant des conseils et des trucs. Gérald, à cette époque, s'entraînait avec Pierre Lavoie et cela n'a pas pris beaucoup de temps avant que j'aie la chance de me joindre à lui. C'est en faisant mon premier entraînement de nage dans le lac Otis en compagnie de Pierre et de Gérald que j'ai compris à quel point Pierre était rapide. Mais les semaines passaient et je m'entraînais sans trop savoir pourquoi je le faisais.

Un soir, lors d'un souper, nous parlions du triathlon de Beauport qui avait lieu le lendemain. Une personne m'a demandé pourquoi je n'y participais pas et j'ai répondu : « Parce que j'ai peur de ne pas terminer en première place. » Cette personne s'est mise à rire et s'est exclamée : « Écoute Jimmy, non seulement tu ne finiras pas premier, mais contente-toi de le terminer, point à la ligne. » Puis, elle a ajouté : « Bah! Tu as raison : tu n'es même pas capable de faire un triathlon! » Cette phrase, telle un coup de pied au derrière, venait de me donner la motivation nécessaire pour y participer. Le soir même, j'ai mis mon vélo dans l'auto : direction Lac-Beauport.

Sur le plan du chronomètre, ça été une catastrophe! Je n'avais pas de combinaison isothermique (*wetsuit*) pour l'épreuve de natation et un vélo de montagne à double suspension avec des pneus à clous. J'ai terminé 93 sur 98 personnes dans ma catégorie (hommes). J'aurais pu y voir là un échec cuisant, mais ma flamme pour cette discipline était maintenant allumée.

L'année suivante, j'ai fait des triathlons sprint qui consistaient en 750 mètres de natation, 20 km de vélo et 5 km de course à pied. J'ai participé à ces épreuves pendant quelques années. En 2011, j'ai voulu m'inscrire au triathlon de Gatineau, mais il ne restait plus de places dans le triathlon sprint. Toutefois, je pouvais encore participer à la distance olympique qui est littéralement le double de ce que je faisais. Ce n'est pas sans hésitation que je me suis inscrit... Juste avant de commencer l'épreuve de nage, je me suis dit: «Mais qu'est-ce que je fais ici? À quoi ai-je pensé?» Au bout du compte, cela a été une expérience formidable et j'ai même découvert que je suis beaucoup plus performant sur une longue distance que sur une courte.

La même année, j'apprenais que Mont-Tremblant allait avoir son Ironman© World. Sans même prendre le temps d'y penser, je me suis inscrit au Demi-Ironman communément appelé Demi-Ironman. Cette épreuve était pratiquement le double de la distance du triathlon olympique (qui était le double du sprint). Encore une fois, le matin même alors que j'étais dans l'eau avec des milliers de personnes, je me demandais ce que je faisais là... Bien entendu, l'expérience a été formidable et j'ai obtenu un bon temps: j'étais fier de moi. J'étais tellement bien préparé que je dois admettre que je n'ai pas trouvé l'expérience vraiment difficile.

Porté par l'enthousiasme, j'ai décidé de m'inscrire au Ironman© 140.6; le vrai de vrai! Cette distance est le double du Demi-Ironman. En effet, on doit parcourir 3,8 km de natation, 180 km de vélo et terminer avec un marathon de 42,2 km de course à pied. Je me disais que tout s'était tellement bien passé lors du Demi-Ironman que ce serait certainement tout aussi plaisant. J'allais le regretter... Compléter cette épreuve est un accomplissement en soi, mais l'entraînement pour y arriver est encore plus intense à mon avis. Lorsque l'on s'entraîne pour ce type d'épreuve, on y consacre tout son temps libre et parfois même, on délaisse certaines sphères de notre vie.

Au matin du Ironman©, j'étais dans l'eau et j'avais peur. Peur de ne pas être à la hauteur, peur de ne pas réaliser un bon temps (comportement typiquement masculin) ou que mon cœur lâche. Le soleil était radieux. Une artiste a entamé l'hymne national et à la fin de sa prestation, trois F-18 sont passés au-dessus de nous pour donner le coup d'envoi. Je me suis mis à pleurer. Je pleurais parce que j'étais fier d'être rendu-là dans mon existence et parce que j'étais joyeux et reconnaissant envers la vie de m'avoir laissé une deuxième chance. Je vous épargne les détails de cette journée, mais je vous assure que j'en ai bavé!

La clé du succès dans le triathlon, c'est de bien gérer son énergie. Ce que je n'ai pas fait car j'avais roulé en fou pendant 180 km ! Le marathon a été un calvaire. J'avançais lentement, mais j'avançais. Oui, ça été difficile, mais laissez-moi vous dire que lorsque vous traversez l'arche finale et que l'annonceur annonce au micro : « Jimmy Sévigny, your are now an Ironman© », ça vaut tout l'or du monde !

Deux ans plus tard, j'ai eu la chance de refaire un Ironman© et je dois admettre que j'étais vraiment mieux préparé. J'ai pu améliorer mon temps, mais j'ai surtout éprouvé du plaisir du début à la fin.

Tableau récapitulatif des distances

	Triathlon sprint	Triathlon olympique	Ironman© 70.3	Ironman© 140.6
Natation	750 m	1500 m	1900 m	3800 m
Vélo	20 km	40 km	90 km	180 km
Course à pied	5 km	10 km	21,1 km	42,2 km

Ma participation à ces événements sportifs m'amène aujourd'hui à inviter des gens à se dépasser à leur tour. J'ai changé ma vie et je crois que tout est possible quand on a la motivation nécessaire. C'est dans cette optique que j'ai lancé le Défi Ironman©. J'invite une centaine de personnes à se joindre à moi pour relever ce défi d'envergure. Après avoir eu l'occasion d'atteindre mon objectif, je souhaite en aider d'autres à le faire. Ces personnes s'entraînent pour se surpasser, pas pour maigrir. Elles sont conscientes d'améliorer leur qualité de vie sans nécessairement diminuer leur tour de taille.

Je vous ai raconté mes expériences en triathlon, mais j'aurais pu vous donner des dizaines d'autres exemples semblables. Certains diront que je suis extrême mais moi, je considère que je suis simplement une personne qui a une grande soif de vivre, de s'accomplir, de se réaliser. Tout cela pour vous dire que l'idée de me dépasser me trotte constamment dans la tête. Ces épreuves m'ont permis de grandir. Je crois que nous sommes tous en quête de dépassement, quel que soit le domaine dans lequel nous souhaitons nous réaliser.

Le rythme rapide de la vie et les responsabilités du quotidien nous font parfois dévier de nos désirs les plus profonds. Plus tard ne viendra peut-être jamais. Et vous ? Dans quel domaine avez-vous envie de vous dépasser ?

MON CONSEIL :

Quel que soit le domaine dans lequel vous souhaitez vous accomplir, commencez dès aujourd'hui. Que ce soit dans un sport, au travail, une activité ou un loisir, mettez en action le goût du dépassement qui vous habite. Bien entendu, faites-le dans le respect de vos limites personnelles.

CHAPITRE 11

LES RELATIONS AMOUREUSES

« Tous les trésors de la terre ne valent

pas le bonheur d'être aimé. »

— Pedro Calderón de la Barca

Une relation amoureuse est faite de plusieurs choses, notamment d'adaptation, de pardon, d'accomplissements. La complicité est incontournable au sein d'une relation à deux. Les membres d'un couple doivent pouvoir s'adapter l'un à l'autre, sans que ce soit toujours le même qui fasse les concessions. Comme le dit si bien l'expression, il faut savoir mettre de l'eau dans son vin.

Lorsque j'ai rencontré Joanie, j'ai ressenti auprès d'elle l'amour dont j'avais toujours rêvé et ce rêve se poursuit. L'admiration est un élément essentiel au sein d'un couple. Joanie en éprouve pour moi et l'inverse est aussi vrai. Elle m'admire pour mon parcours, mon audace, mes projets, mes attentions pour elle. Je l'admire pour sa zénitude et son authenticité. Même si elle est ma cadette de quatre ans, elle possède déjà une sagesse que je n'ai pas encore acquise dans certaines sphères de ma vie. C'est inné chez elle et ça m'inspire. C'est aussi ça le propre d'un couple : s'inspirer mutuellement.

Je veux m'accomplir en tant qu'individu, mais je souhaite aussi voir ma conjointe en faire autant. De son côté, elle souhaite le meilleur pour elle-même, pour moi et pour nous. Nous avons nos buts individuels et nos objectifs de couple. Nous sommes trois entités : Joanie, moi et notre couple. Bientôt, il y aura une quatrième entité qui sera celle de la famille.

Nous partageons plusieurs passions. C'est assez rigolo de constater qu'on souhaite souvent que l'autre ait envie de faire les activités qu'on aime. Cela mène parfois à de drôles d'histoires. La première qui me vient en tête est celle du premier cours de yoga chaud auquel Joanie m'a convié. L'expression «sortir de sa zone de confort» a pris tout son sens. Ceux et celles qui me connaissent savent que le yoga et moi, c'était pas ma tasse de thé. Faire du yoga relève déjà d'un exploit pour moi, imaginez en plus lorsque la pièce est chauffée à 37 °C... Joanie m'avait tout de même convaincu de l'accompagner car c'était un cours de 45 minutes pour débutants, donné par une de ses gentilles amies.

J'ai essayé de m'intégrer, mais je n'y arrivais pas. Assis entre le gars torse nu et la fille aux pantalons psychédéliques, j'avais le sentiment de ne pas être à ma place. Lorsque la professeure a été remplacée par un mastodonte de 6 pieds et 2 pouces à la gigantesque barbe rousse qui venait parfaire sa technique d'enseignement, j'ai appris que je n'étais pas dans un cours

pour débutants, mais que je suivais le cours le plus difficile, d'une durée de 90 minutes. Après 45 minutes, c'en était assez pour moi. Je suis sorti lessivé.

Durant la semaine qui a suivi, je pensais constamment à mon expérience de yoga. J'ai invité Joanie à m'accompagner lors d'une balade à vélo avec mes amis. Je lui ai spécifié que c'était une ballade pour débutants. Nous avons finalement roulé 100 km avec une moyenne de 30 km/h (c'était la deuxième fois qu'elle faisait du vélo de route de sa vie). :) Comme vous pouvez le constater, nous avons tendance à nous « challenger ».

Autre anecdote. Un jour, Joanie m'a inscrit en cachette à une course Spartan (une course à obstacles). Je n'avais jamais fait une chose semblable de ma vie et je me suis senti déstabilisé. Nous devions courir dans les montagnes sur une distance de 24 km et du même coup, franchir une trentaine d'obstacles les plus abracadabrants les uns que les autres. Avant le signal de départ, je dois avouer que je n'étais pas de très agréable compagnie... J'ignorais ce qui m'attendait. Toutefois, après les cinq premiers kilomètres, j'ai fini par comprendre que j'allais avoir du plaisir comme jamais! Nous avons terminé la course main dans la main. Encore une fois, je m'étais imaginé un scénario beaucoup plus intense que l'épreuve l'était en réalité.

J'ai toujours gardé en tête que Joanie m'avait inscrit à mon insu. C'est donc pour lui retourner l'ascenseur que trois mois plus tard, je l'ai inscrite à mon tour au Ironman$^{\copyright}$ 140.6 de Mont-Tremblant. La dernière fois qu'elle avait nagé, elle était encore à l'école secondaire. Nous avons relevé ce défi ensemble. Fier de ma blonde, fier de nous, je lui ai demandé si elle voulait passer le reste de sa vie avec moi... et elle a dit oui! Nous avons donc célébré nos fiançailles lorsqu'elle a franchi l'arche finale. Ça reste un moment inoubliable pour nous deux. Ma conjointe a eu beaucoup de plaisir à relever ce défi, mais elle ne sait pas si elle va répéter l'exploit car elle souhaite s'accomplir dans d'autres domaines. Véritable mordue de yoga, elle en parle chaque jour comme moi je parle du triathlon et de saines habitudes de vie. Je l'appuie dans ses démarches, comme elle me seconde dans les miennes. Ensemble, nous souhaitons réaliser plusieurs projets, notamment ouvrir un studio de yoga, grimper des montagnes et fonder une famille. Je crois que les accomplissements doivent être individuels, mais aussi en couple.

Dans la vie à deux, je crois aussi au pardon. Nul n'est parfait. Quand on fait des gaffes, il faut être capable de s'amender et de pardonner mutuellement nos erreurs. Il m'arrive d'être exigeant envers ma blonde, mais je m'excuse aussitôt. Je verbalise mes insatisfactions au fur et à mesure. Plus on attend avant de régler un problème, plus il grossit. Ne cultivez pas la colère, ni le ressentiment, lâchez le morceau!

MON CONSEIL :

Soyez pour l'autre le partenaire que vous aimeriez qu'il soit pour vous. Offrez-lui ce que vous aimeriez recevoir. Incarnez dans votre couple la personne que vous recherchez.

CHAPITRE 12 :
L'AMITIÉ

✧✧✧✧✧✧✧✧✧✧✧✧✧

« Parmi les nombreux et solides avantages de l'amitié, le plus précieux, à mon avis, est de nous donner confiance en l'avenir, et de ne point laisser les esprits se décourager et s'abattre. Avoir un ami, c'est avoir un autre soi-même. » – Cicéron

✧✧✧✧✧✧✧✧✧✧✧✧✧

Être bien entouré est un élément important de notre existence. Nous sommes des êtres de relations, notre rapport à l'autre est essentiel pour le maintien de notre équilibre. Avez-vous des amis ? Qui sont vos vrais amis parmi toutes vos relations ?

Le jour où j'ai atteint 150 000 fans sur ma page Facebook (j'en suis aujourd'hui à 200 000), ma blonde m'a très rapidement remis les pieds sur terre en me faisant parvenir une citation qui disait : « Avoir des amis sur Facebook, c'est comme être riche au Monopoly… » Bien qu'elle m'ait dit cela sur un ton vraiment humoristique, sur le coup, j'étais un peu ébranlé. Puis, j'ai réalisé qu'elle avait raison. Oui, ces 150 000 personnes me suivent et aiment ce que je fais et j'apprécie, mais qui me connaît personnellement ?

Lorsque je parle d'amis, je parle de ceux que vous pouvez compter sur les doigts de votre main (ou de vos deux mains). Ces amis que vous pouvez appeler à n'importe quelle heure du jour ou de la nuit si vous avez un problème. Quoi qu'il arrive, vous savez qu'ils seront là pour vous. Avec le temps, j'ai compris que ce n'est pas le nombre de fois par année que l'on se voit qui compte, mais les moments qu'on peut vivre ensemble. Chaque fois qu'on se revoit, on est en mesure de reprendre là où on avait laissé la discussion (ou l'entraînement).

Personnellement, je dois admettre que j'ai mis énormément d'énergie dans ma carrière au courant des dernières années et cela a eu un impact immédiat sur mon réseau d'amis. Je ne vous apprendrai rien en vous disant qu'il y a 24 heures dans une journée et que nous devons tous choisir où investir ces heures. Je n'ai pas suffisamment investi dans cette sphère de ma vie jusqu'à tout récemment, mais aujourd'hui, j'ai la chance d'avoir un cercle d'amis proches qui est là pour moi. Je sais qu'Isabelle, Dany, Geneviève, Sarah, Marie-Hélène ainsi qu'Éric seront toujours à mes côtés s'il m'arrive quoi que ce soit. Ils savent aussi que je suis là pour eux.

• • • • • • • • • • •

Prenez le temps d'être reconnaissant envers vos amis chaque fois que vous en avez l'occasion. Remerciez-les d'être dans votre vie. Avez-vous déjà songé à quel point c'est précieux de pouvoir compter sur quelqu'un en tout temps, quoi qu'il arrive ?

• • • • • • • • • • •

Mettez l'accent sur vos belles amitiés, sur ces quelques personnes sur lesquelles vous pouvez compter et évitez le plus possible les relations toxiques. Aujourd'hui, après bien des années à être d'une trop grande tolérance à l'égard des relations qui n'apportent rien, c'est avec une facilité déconcertante que j'éjecte de ma vie les personnes toxiques. Ceux qui se plaignent constamment et qui chialent sur tout n'ont plus mon écoute.

Mon mode de fonctionnement est simple. Si une personne a un problème, je vais l'écouter en tentant de l'aider à trouver des solutions. Si ledit problème n'est pas réglé, je vais l'écouter une seconde fois. Toutefois, si cette même personne revient me voir une troisième fois avec le même problème toujours non résolu et que je sens que cette personne est carrément en mode «sur place» et qu'elle ne fait rien pour arranger les choses, je vais avoir une discussion assez directe avec elle. Nous en avons parlé deux fois et rien n'a changé! Chaque cas est unique et parfois, certains problèmes nécessitent plus de temps, j'en conviens. Toutefois, dans le cas de problèmes mineurs, j'emploie cette méthode.

Oui, on peut traverser des passages difficiles qui exigent que les autres prennent soin de nous, c'est normal. Je fais ici allusion à ceux qui cultivent la négativité et qui s'en drapent comme d'une seconde peau. Je n'ai plus de temps à perdre avec ceux qui ont fait du pessimisme un mode de vie et je ne m'en porte que mieux!

MON CONSEIL :

Outre votre conjoint, avez-vous au moins une personne sur laquelle vous pouvez compter ? Cultivez l'amitié, prenez-en soin. Entretenez-vous des relations malsaines avec des personnes toxiques ? Si c'est le cas, qu'attendez-vous pour y mettre fin ?

CHAPITRE 13

LE TRAVAIL

« *La vie n'est pas le travail : travailler*
sans cesse rend fou. » *– Charles de Gaulle*

Avec toutes les conférences et les formations que je donne en entreprise, je croise parfois des gens qui désirent se confier et qui m'affirment ne pas être heureux au travail. Si c'est votre cas, cela veut dire que la moitié du temps où vous êtes éveillé, vous êtes malheureux. Et selon toute probabilité, vous ramenez votre frustration et/ou votre malheur à la maison. Vous devez admettre qu'il est bien difficile de s'épanouir dans la vie dans un contexte semblable...

C'est au travail qu'à l'âge adulte, nous sommes censés nous amuser, nous réaliser pleinement, faire valoir nos forces, nos compétences et nos talents. En maintenant un équilibre, bien sûr. Certains diront que leur vie de couple les satisfait amplement ou que les amitiés sont tout pour eux. Je crois qu'une vie équilibrée nous oblige à nous accomplir aussi dans la vie professionnelle qui représente à elle seule le tiers de notre existence. Quand on n'arrive pas à se réaliser dans son travail, un manque cruel peut se faire sentir.

J'adorais mon emploi d'enseignant en éducation physique et à la santé, mais il me manquait un petit quelque chose pour me sentir pleinement satisfait. C'est probablement pour cette raison que j'étais entraîneur privé et conférencier en même temps. Je voulais m'accomplir totalement.

Lorsque j'ai quitté mon emploi d'enseignant pour aller travailler avec Chantal, je quittais une certaine sécurité, mais cette expérience m'a amené à me déployer. Je crois que même si certains choix sont parfois douloureux, ils sont incontournables. Voulez-vous passer 40 heures par semaine, malheureux? Souhaitez-vous vous épanouir en faisant valoir votre talent?

• • • • • • • • • • •

Ça me rappelle une pensée de Confucius qui disait: «Choisis un travail que tu aimes, et tu n'auras pas à travailler un seul jour de ta vie.»

• • • • • • • • • • •

Quand on a la chance de faire ce qu'on aime, encore faut-il maintenir un certain équilibre. J'ai frôlé le *burnout*, je sais de quoi je parle. Je considère que c'est une leçon de vie qui m'a beaucoup servi. Laissez-moi vous raconter.

Conférencier de plus en plus en demande, ma carrière fonctionnait à plein. En 2014, mon calendrier se remplissait à la vitesse grand V et je trouvais ça formidable. Mon agenda débordait! Mon horaire était complètement fou! Moi qui avais travaillé tellement fort pour que cela se produise, je n'allais pas commencer à rechigner ou à réclamer une journée de congé ici et là. Non, merci! Entre mes rencontres dans les écoles où je parlais de persévérance scolaire et d'intimidation, les conférences dans les entreprises et la promotion du livre Maigrir 1, j'étais constamment sur les routes du Québec et du Nouveau-Brunswick et je vivais à l'hôtel. Je partageais cette aventure avec ma fidèle complice, Marie-Hélène.

Du début de l'année au 5 avril, je n'ai pas arrêté une minute. Début avril, j'ai fait une pause des conférences pour animer un *bootcamp* au Mexique où je donnais des cours de toutes sortes 6 heures par jour. Comme la demande pour ce voyage avait été particulièrement forte, j'avais créé un second groupe. Le 12 avril, je reconduisais mon premier groupe à l'aéroport et j'accueillais 52 autres personnes qui venaient vivre un *bootcamp*, ce qui totalisait deux *bootcamp* en deux semaines.

Je voulais encore qu'on m'aime, qu'on me trouve beau, bon, gentil...

À mon retour le 19 avril, j'ai aussitôt repris mon horaire de conférencier. Mon agenda était plus chargé que jamais. Je devais prononcer une conférence par jour. En mai, je me suis envolé vers la Grèce avec Chantal et Jean-Michel Anctil avec qui je devais animer un groupe (conférences, entraînement, etc.) Je dois bien l'admettre: j'étais présent physiquement, mais mentalement, je ne l'étais pas. Je me suis senti comme un végétal. Je dormais, je me baignais et je m'entraînais. J'étais incapable de faire plus. À mon retour, j'ai repris le rythme effréné des conférences.

À la fin du mois de mai, j'ai connu un moment culminant. Le lundi j'étais à Montréal, le mardi à Jonquière, le mercredi de retour à Montréal, le jeudi à La Tuque. Le vendredi matin, je devais être au Lac-Saint-Jean. Durant l'après-midi, j'ai donné une conférence à Québec et le soir même, je terminais ma semaine par une conférence en Beauce. J'avais donné trois conférences dans une même journée...

Durant mes conférences, j'avais à cœur d'aborder la question de la santé et de l'équilibre. Je prônais l'importance de faire des choix, de prendre soin de soi et de maintenir à tout prix un bel équilibre.

Au sortir de ma conférence en Beauce, je me suis assis dans la voiture, c'est Marie-Hélène qui avait pris le volant. À peine avions-nous quitté la Beauce que je me suis roulé en petite boule et j'ai pleuré ma vie. J'avais de l'énergie, mais je n'avais plus de vitalité. Mon énergie psychique était à zéro, je ne me sentais plus bien dans ma peau. Marie-Hélène a mis un peu de musique pour me distraire. En entendant Les Hirondelles des Cowboys fringants, je me suis remis à pleurer. Dans cette chanson, il était question d'une personne qui chaque matin se mettait un masque.

Je dois l'avouer : je venais d'atteindre le fond du baril. J'avais travaillé tellement fort pour arriver-là, mais le jour où j'y suis arrivé, j'ai constaté que ce n'était pas du tout le genre de vie que je voulais avoir. J'ai finalement compris que lorsqu'on est submergé par le travail, on finit par se perdre de vue. On ne sait plus qui on est, on se sent mal dans sa peau, on craint de laisser transparaitre son mal-être et on s'enfonce. J'ai tiré une leçon de cet événement et à partir de ce jour, je me suis promis de ne plus jamais me mettre dans cet état.

Aux grands maux les grands moyens. J'ai quitté mon agence de conférenciers et j'ai procédé au grand ménage dans ma vie.

Aujourd'hui, j'accepte mes limites en tant qu'être humain et je me réserve le droit de refuser un contrat si je considère que

cela va à l'encontre du discours d'équilibre que je prêche. Par exemple, outre mes projets, je n'accepte jamais de donner plus de deux conférences par semaine si ces mandats exigent plus de 150 km de déplacement. Cela me permet d'être en top forme lors de la présentation et en bout de ligne, ce sont mes clients qui sont encore plus satisfaits du service que je leur offre.

• • • • • • • • • • •

Même quand on fait ce qu'on aime, l'équilibre doit être préservé. Il n'y a pas que le travail dans la vie. On ne peut pas s'investir dans la sphère professionnelle au point de se dénaturer en tant qu'être humain.

• • • • • • • • • • •

Travailler dans le lit n'est jamais une option. Essayez de rendre vos journées les plus productives possibles, mais lorsque vous vous couchez, dormez. Ne laissez pas le travail vous envahir en permanence. Le repos et la récupération sont aussi nécessaires à l'action et à la performance.

Si vous croyez que votre équilibre de vie est menacé et que vous travaillez trop, n'hésitez pas à en parler. Si vous vous sentez mal et que rien ne va plus, discutez avec un proche. Si vous croyez que ce serait mal vu de vous confier, sachez que les amis et la famille sont là pour ça. N'ayez pas peur de communiquer votre malaise.

Et souvenez-vous de la phrase de Roland de Lassus qui disait : « Je travaille à être heureux, c'est le plus beau des métiers. »

Mon conseil :

Rappelez-vous que le travail n'est pas tout dans la vie. Si vous travaillez pour vous payer du luxe, mais qu'éventuellement vous devez investir dans les services d'un entraîneur privé, d'un psychologue et d'une nutritionniste pour vous remettre en forme parce que vous êtes épuisé de trop travailler, vous ne serez pas plus avancé. Brisez cette roue infernale en mettant en place un bel équilibre dans votre vie. Aussi, si vous le pouvez, faites une sieste de 10 minutes par jour. Ce répit vous permettra d'être à la fois plus reposé et performant.

CHAPITRE 14 :
L'ARGENT

« L'argent qu'on possède est l'instrument de la liberté ; celui qu'on pourchasse est celui de la servitude. » – Jean-Jacques Rousseau

L'argent est un instrument, rien de plus. Nous avons tous besoin d'argent pour vivre, mais nous ne devons pas vivre pour l'argent.

Un jour que je discutais de style de vie avec un conférencier d'expérience qui avait connu bien des succès, j'ai voulu en connaître un peu plus sur son rapport à l'argent. Il avait considérablement ralenti son rythme, donnait moins de conférences, avait diminué son train de vie et vendu sa grosse maison. Il avait, comme plusieurs autres, vécu au-dessus de ses moyens à ses débuts, puis selon ses moyens par la suite, mais aujourd'hui, il vivait dorénavant selon ses besoins. J'ai retenu la leçon.

Ma relation à l'argent s'est transformée au fil du temps. Il est enfin devenu ce qu'il doit être : accessoire. Avant, j'étais motivé par mon insécurité financière, ma peur de perdre ou d'être pauvre. Chez nous, nous n'étions pas pauvres, mais nous vivions humblement. Je me rappelle encore de ces soirs de fins de mois pendant lesquels mon père nous demandait de manger des « cannes de soupe Habitant », car le budget était serré. Lorsque j'y repense, je me dis qu'il devait parfois se sentir dépassé par les événements. J'ai grandi avec la peur de manquer d'argent. J'avais accepté la pensée qui prétend que tout repose sur lui. Avec lui, on est assurément heureux, sans lui, forcément malheureux.

Pendant longtemps, mon grand plaisir consistait à étaler les circulaires d'épiceries disponibles pour faire mes choix. Je courais les aubaines. J'ai fini par conclure que si je perdais une heure pour trouver une aubaine de 3 $, au final je suis perdant. Si je gaspille 10 $ d'essence entre trois épiceries pour faire honorer quelques coupons, au final je suis encore perdant.

Cette manière de m'administrer a été encouragée par mon entourage, jusqu'à ce que je rencontre Joanie. Grâce à elle, ma perception des choses a aussi changé sur ce plan. J'ai appris à vivre dans plus de fluidité financière, c'est-à-dire vivre sans toujours compter. J'exerce plus que jamais avec elle ma générosité. Je me souviens du premier été que nous avons passé ensemble. J'avais dissimulé deux billets d'avion pour Las Vegas dans le coffre à gants de la voiture et j'avais trouvé un prétexte pour qu'elle y fouille. Quel bonheur elle a eu de les trouver, et quel plaisir j'ai eu à les lui offrir !

Aujourd'hui encore, j'ai un plaisir fou à gâter les gens que j'aime et je dois l'avouer: maudit que ça fait du bien de donner! Il faut dire que dans les dernières années, j'ai travaillé avec LA personne qui prêchait par l'exemple, je parle ici de Chantal Lacroix.

• • • • • • • • • • •

Au fond, à quoi sert l'argent? Lorsque j'ai marché au bord du précipice et que j'ai failli me retrouver en «burnout», j'avais de l'argent comme jamais je n'en avais eu de ma vie. Alors que l'épuisement professionnel me guettait, à quoi pouvait-il me servir? L'argent sert quand il peut être utilisé, pas quand il est à la banque.

• • • • • • • • • • •

À quoi sert de travailler comme un fou pour faire des économies, y laisser sa santé et devoir au bout du compte acheter des pilules et payer des traitements et des consultations de toutes sortes pour se remettre sur rail? Combien de gens très aisés ai-je vus très malheureux et de façon opposée, des gens qui vivaient très humblement être heureux? En 2007, j'ai eu la chance de visiter le Pérou muni d'un sac à dos. Savez-vous ce qui m'a le plus frappé dans ce pays? Pas le Machu Picchu, mais bel et bien cette capacité qu'ont les habitants de Cuzco d'être heureux avec pratiquement aucun bien matériel. Toute leur richesse est en-dedans!

Un jour, mon comptable m'a appelé pour m'aviser que j'étais dorénavant imposé à 52%. J'ai alors compris que je travaillais 3 ou 4 mois par année pour rien... Aujourd'hui, je travaille fort, mais je suis heureux. Je pourrais travailler de 24 heures sur 24, 7 jours sur 7 tellement j'ai la chance de recevoir toutes sortes de demandes. Je reçois en moyenne 300 courriels et messages Facebook par jour et je réponds à tout le monde. À cette entreprise qui veut embaucher un conférencier et/ou un formateur ; à cette école qui a besoin d'une personne pour parler d'intimidation et/ou de persévérance scolaire à ses élèves ; à cette femme qui a tout essayé pour perdre du poids ; à cette autre qui a reçu un diagnostic de cancer ; à celle qui ne trouve plus le courage de vivre. J'essaie de répondre du mieux que je peux. De temps en temps, Joanie me donne un coup de main. Ces cris du cœur me bouleversent. Combien d'histoires de gens malheureux je peux lire régulièrement ? Je ne les compte plus. Dans toutes ces situations de détresse, l'argent est toujours secondaire. Que peut-il devant la maladie, la perte d'un être cher, une peine d'amour ou autre ?

MON CONSEIL :

*Quelle importance accordez-vous à l'argent ?
Avez-vous trouvé l'équilibre sur ce plan ?
A-t-il trop d'importance à vos yeux ? Est-il
un instrument à votre service ou êtes-vous
esclave de l'argent ?*

CHAPITRE 15

LES ENGAGEMENTS

« *La valeur d'un homme tient dans sa capacité*

à donner et non dans sa capacité à recevoir. »

– Albert Einstein

Pendant longtemps, parce que je ressentais un grand vide intérieur, j'ai eu besoin de recevoir. Parce que j'ai retrouvé l'équilibre dans ma vie, je suis maintenant à l'étape de la transmission. Mes propres besoins ayant été comblés, je suis plus en mesure de donner.

Je crois fermement qu'avant de s'attendre à recevoir quoi que ce soit de la vie, il faut d'abord et avant tout donner sans compter. Je ne parle pas uniquement d'argent, mais également de temps, d'écoute et d'affection. C'est dans cet esprit qu'en 2012, je suis devenu ambassadeur de la Fondation des maladies du

cœur et de l'AVC. De par mon travail, j'ai à cœur d'aider les gens à se reprendre en main et à changer leur vie. Si je peux inspirer des gens à s'engager sur le chemin du mieux-être, j'aurai rempli ma mission.

Même chose dans les écoles secondaires avec les jeunes. J'essaie de m'adapter le plus possible aux ressources des écoles afin de motiver leurs «ados» à croire en leurs rêves. Parler à des jeunes, c'est comme si c'était un cadeau pour moi. Ils ont la vie devant eux et parfois, ils se sentent tellement mal à l'intérieur qu'ils ne voient pas tout le potentiel qu'ils ont. Après chaque conférence, je me dis que si j'ai réussi à aider ne serait-ce qu'un seul jeune à améliorer sa qualité de vie, mon travail n'aura pas été vain !

Sans participer à quelque mouvement que ce soit, je tente de préserver la vie animale en consommant moins de viande. D'aussi loin que je puisse me rappeler, j'ai toujours eu des animaux à la maison. J'éprouve pour eux un amour profond. Aujourd'hui, j'ai un lapin, Clovis, qui a été précédé par M. Lapin. Cela n'a pas toujours été facile de lui enseigner les «bonnes manières», mais Clovis n'a pas de cage : il est libre dans la maison et tout comme un chat, il possède sa litière. J'ai besoin de cette présence reposante. J'apprécie le non-jugement de ces bêtes. Ce sont des êtres pour la plupart inoffensifs, sans défense et rarement méchants. Ils nous portent un amour inconditionnel.

• • • • • • • • • •

Lorsque j'étais obèse, je l'ai expérimenté : quelle que soit notre apparence, nos animaux nous aiment. Riche ou pauvre, beau ou laid, heureux ou malheureux, ils nous aiment quand même !

• • • • • • • • • •

Voir des animaux conduits à l'abattoir m'a fait réfléchir et a influencé ma manière de m'alimenter. Pour des raisons éthiques et philosophiques, je ne mange presque plus d'animaux à quatre pattes, spécialement du cheval et du lapin (on se demande pourquoi?). Mon alimentation est composée de poissons, de fruits de mer, d'œufs et de volaille. J'essaie d'être conséquent: j'aime les animaux, mais le moins possible dans mon assiette. Les purs et durs me diront que je continue quand même de manger des êtres vivants et j'avoue que c'est vrai. Toutefois, ma conscience est très grande par rapport au traitement que l'on fait subir à ces bêtes. Suis-je devenu végétarien? Non. Le serai-je un jour? Peut-être bien. Cela demeure un choix personnel et je respecte ceux et celles qui consomment de la viande rouge et tous les types de viandes comestibles. Ma conjointe est souvent la première à réclamer un steak de temps à autre et j'accepte volontiers son choix. Le problème n'est pas le choix que l'on fait personnellement, mais si l'on tente d'imposer ce choix aux gens qu'on côtoie, cela risque de causer problème!

MON CONSEIL :

Avez-vous des engagements qui vous permettent de partager de votre temps, de votre talent? Où et à qui donnez-vous? Votre apport, aussi minime soit-il, peut faire une grande différence.

CHAPITRE 16

LES ÉMOTIONS

◇◇◇◇◇◇◇◇◇◇◇◇◇◇◇

« Si vous voulez être libre de vos émotions,

il faut avoir la connaissance réelle, immédiate

de vos émotions. » – Arnaud Desjardins

◇◇◇◇◇◇◇◇◇◇◇◇◇◇◇

Vous considérez que vous mangez trop ? Que vous magasinez trop ? Que vous buvez trop ? Que vous travaillez trop ? Toutes ces compulsions traduisent peut-être un malaise intérieur qui vous empêche de vous épanouir et de fonctionner normalement. Quel que soit le domaine dans lequel vous peinez à endiguer vos débordements, l'objectif, conscient ou non, demeure le même : c'est une manière de créer quelques instants de réconfort qui aboutiront, par la force des choses, à un grand inconfort.

On peut gérer sa vie émotionnelle autrement que par les excès. Il n'est pas nécessaire de frôler des hauts et/ou des bas pour se sentir vivre. On peut être heureux dans la paix et la tranquillité. L'équilibre émotionnel devrait être recherché, notamment parce que nos émotions régissent notre corps. L'extérieur est le résultat de notre monde intérieur. Selon des courants de pensée, certaines maladies traduiraient un malaise émotif.

Ceci étant dit, nous sommes des humains et notre plus grande différence avec les robots consiste à éprouver des émotions et des sentiments. Ils enrichissent notre vie, mais Ils peuvent également apporter leur lot de problèmes lorsque nous ne sommes pas en mesure de bien gérer tout ce flot d'informations qui parvient à notre cerveau. Nous sommes dotés d'une intelligence directe communément appelée quotient intellectuel (QI), mais nous avons également un quotient émotionnel (QE), communément appelé intelligence émotionnelle. L'intelligence émotionnelle, c'est cette capacité que nous avons à contrôler nos émotions ainsi que... celles des autres. Les relations interpersonnelles sont au cœur de notre vie, il est donc impératif d'apprendre à les optimiser afin de nous sentir bien avec nous-même et avec les autres.

CINQ COMPÉTENCES À DÉVELOPPER

Selon Daniel Goleman, il y aurait cinq compétences à développer pour améliorer l'intelligence émotionnelle. Les voici.

1- Conscience de soi

Être conscient de ce que l'on ressent (émotions et sentiments) et utiliser ses penchants instinctifs pour orienter ses décisions. Avoir une bonne confiance en soi et être en mesure de s'évaluer avec réalisme.

2- Maîtrise de soi

Être en mesure de gérer les émotions ressenties de manière à ce qu'elles facilitent notre travail au lieu d'interférer avec lui. Être en mesure d'exprimer ce qu'on ressent de façon convenable et être capable de récupérer rapidement après une perturbation émotionnelle.

3- Motivation

La motivation est ce qui nous pousse à vouloir nous dépasser et nous stimule à évoluer constamment. Elle nous permet également de persévérer dans l'adversité.

4- Empathie

C'est cette capacité qu'on a à comprendre et à ressentir les émotions d'une autre personne. Toutefois, il est important de savoir qu'on ne peut comprendre les autres si on peine à se comprendre soi-même.

5- Aptitudes humaines

C'est être en mesure de bien maîtriser ses émotions lorsqu'on est en relation avec des gens et du même coup, avoir la capacité de bien réagir. C'est aussi pouvoir utiliser nos aptitudes pour arriver à persuader, régler des conflits, coopérer et améliorer notre leadership personnel.

Considérez-vous que vous maîtrisez parfaitement ces cinq compétences? Personnellement, je vous assure que je ne les maîtrise pas pleinement, mais j'y travaille sur une base quotidienne. Chaque matin que j'ai la chance de me lever, je tente de m'améliorer en tant qu'être humain!

• • • • • • • • • • •

*Il existe ce que j'appelle communément le syndrome de la «Bud Light».
Je m'explique: notre vie intérieure peut être comparée à une bouteille
de bière mise sous pression. À chaque frustration, c'est comme si on
la brassait. Si les événements et les gens autour font en sorte d'agiter
notre bouteille, nous risquons de déborder lorsque le bouchon sera
dévissé. Si vous êtes sensible et réactif, ne vous entourez pas de gens
qui vous brassent en permanence sur le plan émotif.*

• • • • • • • • • • •

Nos émotions naissent de nos pensées. Gérez vos pensées et vous serez en mesure d'apaiser votre vie ainsi que votre intelligence émotionnelle. Aujourd'hui, j'arrive à prendre un peu plus de recul et à moins m'enflammer face aux perceptions qui me blessent. Par exemple, au lieu de me sentir mis de côté parce que je n'ai pas été choisi pour un projet, au lieu de me demander pourquoi on n'a pas pensé à moi, je me dis qu'il y a sûrement une bonne raison et que quelque chose d'autre m'attend. Je change mes pensées et par la force des choses, mon émotion est différente. Je suis capable d'identifier ce que je vis, de mettre un nom sur ce que je ressens et de mieux contrôler mes émotions.

Il n'y a rien de tel que d'exercer le lâcher-prise. Moi qui possède une nature émotive, je n'y arrive pas toujours, mais dans 80 % des situations, je suis maintenant en mesure d'y parvenir grâce au travail que j'ai fait sur mon intelligence émotionnelle. Des attentes non comblées génèrent habituellement des émotions négatives. Mieux vaut lâcher prise et accepter ce qui est.

Récemment, je discutais avec une personne qui était frustrée parce que quelqu'un lui devait 150 dollars pour un contrat qui n'a jamais été payé. Pendant deux semaines, cette personne flouée m'a écrit tous les jours pour se plaindre et partager sa colère. J'ai fini par lui dire qu'à moi aussi elle avait fait le coup. Elle me devait non pas 150, mais des milliers de dollars! Mais j'ai lâché prise. Au final, au-delà de l'argent, c'est le tort qu'on peut se faire à cause du ressentiment qui n'en vaut pas la peine. Je refuse d'entretenir ma colère, de ressentir de la frustration, de dérégler mon taux de cortisol, de gâcher de nombreuses journées et autant de nuits à cause d'émotions négatives générées par une personne malhonnête. Quand on lâche prise, ce n'est pas pour l'autre qu'on le fait, mais pour soi-même.

• • • • • • • • • • •

Comme disait si bien Bouddha : «Accepte ce qui est, laisse aller ce qui était et aie confiance en ce qui sera.»

• • • • • • • • • • •

On peut facilement devenir obsédé par l'arbre qui cache la forêt, alors qu'un autre point de vue pourrait s'offrir à nous si on acceptait de prendre un peu de recul pour mieux jauger la situation. La perception est à la base de tout. Changez votre perception des choses et vous changerez votre état intérieur.

Il y a quelques mois, j'ai vécu un coup dur au niveau professionnel. Je me sentais tellement mal face à cette situation que mon sommeil en a été altéré. Je ne voyais que ce problème, tandis qu'au-delà de cette situation, un monde de possibilités s'offrait à moi. Il fallait que je regarde toutes les facettes.

Si vous n'aimez pas la face de votre cube, tournez-le : il y en a 5 autres !

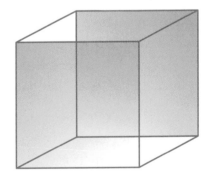

Petit exercice. Quel animal voyez-vous?

Un canard? Regardez de plus près. Il y a aussi un lapin. Il en est de même dans la vie: on peut voir les choses autrement.

C'est le grand Nelson Mandela qui a dit: «Je ne perds jamais. Soit je gagne, soit j'apprends.» Tout est question de perception.

À cet effet, je vous suggère d'aller voir la vidéo de Benji sur Youtube (Hope For Paws: *Benji was homeless his whole life...*). C'est la touchante histoire d'un petit chien qui s'est merveilleusement bien rétabli malgré son passé douloureux. Je vous mets au défi de ne pas pleurer à l'écoute de cette vidéo. Entre la résistance et l'adaptation, voyez le résultat. Parfois dans la vie, on croit s'adapter aux épreuves auxquelles nous sommes confrontés, mais nous sommes plutôt en mode résistance. Cette résistance nous forge et nous déforme en tant qu'être humain. Benji qui vivait depuis toujours en mode survie était devenu un chien méchant, mais au fond de lui-même, il était toujours le même bon chien qu'il aurait dû être. Je me perçois moi-même comme Benji: à force d'être rejeté et humilié, je suis devenu un «bum», un méchant, une personne que je n'étais pas fondamentalement, mais que j'étais devenue par réflexe de survie et d'autodéfense.

Enfin, si le sujet vous intéresse, je vous invite à lire sur les plus récentes découvertes scientifiques qui font un lien direct entre les émotions et l'intestin. Dans un ouvrage que j'ai

ILLUSTRATION: COLLECTION PERSONNELLE

adoré et qui s'appelle Le charme discret de l'intestin, on le qualifie de deuxième cerveau. On croit dorénavant que si le microbiote (ou la flore intestinale) est débalancé à cause d'une alimentation dénaturée, la vie émotive en subirait les contre-coups. En passant, si vous ressentez des ballonnements, des gonflements, avez des flatulences et/ou manquez d'énergie, il s'agit peut-être d'un déséquilibre de votre flore intestinale. Lorsque cela se produit, je consomme des probiotiques et cela règle le problème dans la plupart des cas*.

· · · · · · · · · · ·

Désordre alimentaire rime avec désordre émotif.

· · · · · · · · · · ·

On me demande souvent mon opinion sur les troubles alimen-taires tels que l'anorexie, l'hyperphagie et la boulimie. Pour moi, il n'y a pas de différence : ce sont trois maladies directe-ment reliées aux émotions. En étant consultant auprès de per-sonnes qui ont ces troubles, j'ai vite réalisé que le problème n'était pas de savoir ce que l'on devait manger, mais dans quel état d'esprit nous étions lorsque nous mangions ces aliments. Aujourd'hui, je refuse même de vendre des plans d'entraî-nement à certaines personnes qui sont aux prises avec des troubles alimentaires. Pourquoi ? Parce que je considère qu'on frappe sur le mauvais clou. Bien entendu, étant moi-même éducateur physique, il serait stupide de ma part d'avancer que l'activité physique n'est pas une partie importante de l'équa-tion dans l'équilibre psychique d'une personne. Toutefois, si je m'aperçois que le mal est profond, je décline car je crois fermement qu'une psychothérapie aidera beaucoup plus une personne sur une longue période qu'une routine d'exercices et cela, c'est le travail d'un psychologue, pas le mien ! Avant de guérir l'extérieur, travaillez l'intérieur : je vous assure que votre vie en sera facilitée et que vous aurez plus de chance d'atteindre vos objectifs. Enthousiasmé par les résultats, vous viendrez me voir pour un programme d'entraînement ! :-)

Exercice d'après tempête

Si vous croyez que vous avez besoin d'aide pour gérer vos émotions, je vous invite à consulter un professionnel. En attendant, vous pouvez faire cet exercice que j'appelle « l'exercice d'après tempête ». Cette grille vous aidera peut-être à comprendre ce qui s'est passé et à trouver des pistes de solution par vous-même.

JOUR DE LA SEMAINE	ÉVÉNEMENT DÉCLENCHEUR	ÉMOTIONS OU RÉACTIONS DE MA PART	PISTES DE SOLUTION
Exemple : Lundi	Conflit avec mon conjoint	Consommer des aliments riches en calories sans aucune raison pour oublier et me réconforter.	Préférer le dialogue au lieu de me refermer sur moi-même et de cultiver la colère.
Mardi			
Mercredi			
Jeudi			
Vendredi			
Samedi			
Dimanche			

Mon conseil :

Quel que soit votre âge, apprenez à mieux vous connaître en identifiant vos émotions. Comment vous sentez-vous ? Qu'est-ce qui vous fait réagir ? Évitez de porter des jugements sur votre ressenti. Les émotions que vous ressentez sont-elles en lien avec le présent ou viennent-elles du passé ? Parfois, on associe une situation présente à ce qu'on a déjà vécu. Par exemple : quelqu'un ne donne pas de nouvelles et on se sent aussitôt rejeté. Les émotions naissent des pensées. En apprenant à identifier vos émotions et à comprendre d'où elles proviennent, vous serez plus en mesure de bien les gérer. Mais ça, c'est le travail d'une vie !

* Consultez un professionnel de la santé avant de consommer quelques produits que ce soit.

CHAPITRE 17:
LES RÊVES

« Il est important d'avoir des rêves assez grands pour ne pas les perdre de vue lorsqu'on les poursuit. » — *Oscar Wilde*

L'être humain vit d'espoir. Nous aspirons tous à quelque chose, à plus, à mieux. Pourquoi un condamné à la prison à vie ne met-il pas fin à ses jours? Parce qu'il garde espoir d'être libéré (ou de s'évader) un jour. L'espoir fait partie de notre nature humaine.

Les rêves nous portent, nous aident à avancer à travers la vie, nous permettent de supporter les déceptions. Rien n'arrive tout seul. Il faut s'investir, persister, parfois même s'acharner. Les réalisations sont comme la pointe de l'iceberg: on peut voir le succès et le but atteint, mais on peut avoir tendance à sous-estimer tout le travail et les efforts déployés pour y parvenir.

Il y aura toujours des éteignoirs pour vous dire que vos rêves sont impossibles à atteindre. Il y a toujours des gens qui penseront que vous n'y arriverez pas, que vous rêvez en couleur, que vous voyez trop grand. Fuyez-les. Peu importe ce qui arrive, je suis convaincu qu'il y a toujours de l'espoir à qui sait en chercher !

• • • • • • • • • • •

« On va toujours trop loin pour les gens qui vont nulle part. »
– Pierre Falardeau

• • • • • • • • • • •

À titre d'exemple, prenez un grand bocal en verre et remplissez-le avec de gros cailloux. Est-il plein à ce moment-là ? Beaucoup de gens répondront affirmativement. Toutefois, on peut encore y verser des cailloux plus petits qui, eux, vont se glisser entre les gros cailloux. À ce moment, le bocal est certainement plein... Hé bien non ! Versez-y maintenant du sable afin que ce dernier se faufile entre les gros et les petits cailloux. Le bocal sera-t-il alors rempli ? Non ! Ajoutez de l'eau afin que cette dernière comble entièrement l'espace restant. Cet exemple banal démontre qu'il est important de rêver. Même lorsque vous vivez un échec et que vous croyez que cela ne fonctionnera jamais, il y aura toujours une autre manière de parvenir à la réalisation de votre rêve !

Lorsque j'ai été invité à *Tout le monde en parle*, combien de personnes m'ont dit : « Jimmy ! On savait qu'ils allaient finir par t'inviter ! » Je tiens à préciser que lorsque j'ai poussé la porte du studio en 2016, on ne m'avait pas invité parce qu'on venait de se rendre compte que j'avais des beaux yeux. J'avais préparé le terrain depuis 2007 et jamais je n'ai cessé d'écrire à la rédactrice en chef pendant tout ce temps. J'ai mis 8 ans

avant d'y arriver. Le jour où la rédactrice m'a téléphoné, elle m'a dit d'entrée de jeu : « Jimmy, peut-on se tutoyer ? Depuis le temps, j'ai vraiment l'impression qu'on se connaît. » Est-ce que j'ai parfois douté face à la possibilité d'être un jour un invité de cette émission ? Tout à fait ! Toutefois, ma motivation était plus grande que ces petites déceptions que je vivais.

Même chose lorsque j'ai lancé mon DVD intitulé Évolution en 2016. Beaucoup de gens me disaient que le temps du DVD était révolu. Si en plus j'invitais des personnes un peu enrobées à participer à mon DVD d'entraînement, j'allais courir à ma perte. Moi, j'en rêvais. Je suis allé de l'avant, malgré tous les pronostics. À une époque où les gens n'achètent supposément plus de DVD, nous sommes demeurés en première position des meilleurs vendeurs au Canada pendant 10 semaines alors que le DVD n'était en vente qu'au Québec !

Après avoir lancé le DVD Évolution, j'ai décidé d'inviter les gens à participer à un *workout*. En seulement 3 semaines de promotion, 1 000 personnes y ont participé à Québec et à Montréal. Lors des prochains, nous serons 5 000 participants. D'ici 5 ans, je compte remplir le stade olympique. Mon objectif est de voir 15 000 personnes bouger en même temps, dans un même lieu.

Quand on n'a plus de rêves, d'objectifs, de buts, on stagne dans la vie et on arrête d'évoluer. Toutefois, je ne vous cacherai pas que le fait d'avoir des rêves et de voir grand peut comporter son lot de déceptions. Gardez toujours en tête que toute souffrance vient à la base d'un désir que l'on caresse. Que ce soit pour obtenir un meilleur emploi, une nouvelle auto, un nouveau conjoint ou guérir d'une maladie ; tous ces objectifs proviennent d'une attente.

Sur le plan de la santé, beaucoup de gens désirent se reprendre en main et abandonnent après quelques semaines, voire même quelques mois. Si vous êtes dans cette situation, qu'attendez-vous pour rêver grand et y croire? Loin de moi l'idée de vouloir faire de la psycho pop à 5 cents, mais si votre rêve prioritaire devient votre corps et votre santé et que vous êtes prêt et prête à mettre tous les efforts nécessaires, je ne vois aucune raison pour que cela échoue.

En consultation, je rencontre tellement de gens différents issus de toutes les classes sociales. Ces personnes ont un point en commun : elles excellent dans l'une ou l'autre des sphères de leur vie. L'un est un homme d'affaires prospère, l'autre est une super maman, l'autre encore travaille sans relâche afin que son travail soit fait à la perfection. Ces gens sont extrêmement compétents dans leur domaine respectif car ils ont eu un rêve et y ont cru.

Et vous? Qu'en est-il de votre santé? De votre corps? Nous parlons ici de votre vie! Êtes-vous prêt à vous investir autant dans votre santé que dans votre travail ou toute activité qui vous motive corps et âme? Pour plusieurs, la santé mérite qu'on s'en occupe à partir de 50 ans. Si c'est ce que vous croyez, pourquoi ne pas commencer maintenant? Quel que soit votre âge. Rêvez grand et investissez dans votre REER santé dès maintenant. Je vous assure que lorsque vous aurez besoin de retirer vos placements, votre corps vous en remerciera. Et rappelez-vous : c'est le seul REER duquel le gouvernement ne pourra jamais vous retirer une partie...

MON CONSEIL :

Prenez le temps de réfléchir à vos objectifs de vie à court, moyen et long terme dans tous les domaines : la santé, le travail, l'amour, l'amitié, l'argent, etc. Identifiez-les, écrivez-les, détaillez-les. Il n'y a rien de mieux que de savoir ce qui nous anime pour marcher avec enthousiasme vers nos objectifs de vie.

Conclusion

L es rêves sont à la base de la vie humaine. Si on n'avait pas rêvé d'une route des épices plus courtes il y a de cela un peu plus de 500 ans, on n'aurait jamais découvert l'Amérique. Si on n'avait pas rêvé de gagner un jour la médaille d'or aux Jeux olympiques, l'athlète ne se serait jamais amélioré. Les rêves sont essentiels. Comme disait Jacques Brel: «Je vous souhaite des rêves à n'en plus finir... et l'envie furieuse d'en réaliser quelques-uns!» Lorsque vous réaliserez les rêves que vous chérissez, vous allez vous accomplir encore plus dans les différentes sphères de votre vie. Et ce jour-là, plus que jamais vous pourrez dire que vous êtes sur votre X!

Bibliographie

Chapitre 5 : L'alcool

Li GH, Baker SP. Alcohol in the fatally injured bicyclist. Accid Anal Prev 1994; 26: 543–8

Lyons FP. Can regular alcohol consumption increase the risk of injury [thesis]? Exeter: University of Exeter, 1998

Bagnardi V, Blangiardo M, La Vecchia C, et al. Alcohol consumption and the risk of cancer – a meta-analysis. Alcohol Res Health 2001; 25(4):263–70

Seitz HK, Pelucchi C, Bagnardi V, et al. Epidemiology and pathophysiology of alcohol and breast cancer: update 2012. Alcohol and Alcoholism 2012; 47(3):204–212. doi:10.1093/alcalc/ags011

Fedirko V, Tramacere I, Bagnardi V, et al. Alcohol drinking and colorectal cancer risk: an overall and dose-response meta-analysis of published studies. Ann Oncol 2011; 22(9):1958–72. doi:10.1093/annonc/mdq653

Agency for Healthcare Research and Quality, Rockville, MD. Alcohol consumption and cancer risk: understanding possible causal mechanisms for breast and colorectal cancers, November 2010.

Chapitre 6 : Le sucre

*Source: Johnson RJ, et al. Potential role of sugar (fructose) in the epidemic of hypertension, obesity and the metabolic syndrome, diabetes, kidney disease, and cardiovascular disease. The American Journal of Clinical Nutrition, 2007.

Chapitre 8 : Les suppléments

Courbebaisse M, Souberbielle JC, Prié D, Thervet E. Non phosphocalcic actions of vitamin D Med Sci (Paris). 2010 Apr;26(4):417-21.

Akazawa N, et al Curcumin ingestion and exercise training improve vascular endothelial function in postmenopausal women . Nutr Res. (2012)

Asma Ejaz, Dayong Wu; Curcumin Inhibits Adipogenesis in 3T3-L1 Adipocytes and Angiogenesis and Obesity in C57/BL Mice[1-3]. Journal of nutrition 2009